THEOLOGISCHE FORSCHUNG
WISSENSCHAFTLICHE BEITRÄGE
ZUR KIRCHLICH-EVANGELISCHEN LEHRE

HERAUSGEBER: HANS-WERNER BARTSCH, FRITZ BURI,
DIETER GEORGI, GÖTZ HARBSMEIER,
JAMES M. ROBINSON, FRANZ THEUNIS,
KLAUS WEGENAST

LXI.
~~XXI.~~ VERÖFFENTLICHUNG

TRADITION
CHRISTUS
EXISTENZ

Das Christus-Verständnis Fritz Buris

1977

HERBERT REICH · EVANGELISCHER VERLAG GMBH
HAMBURG-BERGSTEDT

TRADITION CHRISTUS EXISTENZ

Das Christus-Verständnis Fritz Buris

Imelda Abbt

1977

HERBERT REICH · EVANGELISCHER VERLAG GMBH
HAMBURG-BERGSTEDT

Mit Unterstützung
der Langstiftung, Zürich/Schweiz

ISBN 3 7924 0161 4

1 9 7 7

INHALT

ZUM GELEIT

Meine Theologie wird in dieser Studie unter einem besonderen Aspekt, nämlich der darin enthaltenen Christologie untersucht und dargestellt. Diese Themastellung ist ausgezeichnet, denn sie faßt sowohl das eigentliche Anliegen meiner Theologie ins Auge als auch diejenige Seite ihres Wesens, die sie vielen als finis Christianismi erscheinen läßt. Wie soll auf Grund der These von der ausgebliebenen Parusie ausgerechnet eine christologische Theologie möglich sein?

Imelda Abbt hat diese zentrale Frage meiner Theologie scharfsichtig erkannt und mutig angepackt, meine Position in umfassender Weise zur Darstellung gebracht und sie in dem Sinne gewürdigt, daß es möglich sei, auf dieser Grundlage kritisch weiterzudenken.

Zur Durchführung der Aufgabe, die sie sich gestellt hat, mußte sie nicht nur mein ganzes theologisches Schrifttum durcharbeiten, sondern auch dessen nicht immer leichte Gedankengänge nachvollziehen. Ihre Arbeit beweist, daß sie beides mit großem Geschick und Verständnis getan hat. Sie hat sowohl das Ganze meiner Theologie begriffen als auch treffsicher daraus das herausgegriffen, was für ihre Fragestellung wesentlich ist. Es war für mich selber interessant, zu verfolgen, wie sie die Anfänge meines Denkens, die Einflüsse, die dafür maßgebend waren, die Art, wie ich sie verarbeitete, und die Entfaltung der mich von jeher leitenden Gedanken bis zu ihrer heutigen Gestalt in einen großen Zusammenhang zu bringen vermochte.

Um nachzuzeichnen, wie und warum ich mich von einzelnen Theologen und Philosophen beeinflussen ließ, und wie und warum ich mich von andern absetzte, bedarf es schon einiges an eigenem Denkvermögen und geschichtlichem Verstehen, zumal wenn diese Begegnungen nicht nur in den Bereichen christlicher Theologie und abendländischer Philosophie und deren Geschichte stattfinden, sondern sich auch auf so disparate Gebiete wie kirchliche Verkündigung, Literatur und fernöstliches Denken erstrecken.

Mit feinem Nachempfinden, mit Sinn für das Wesentliche und mit einer ausgesprochenen systematischen Begabung ist Imelda Abbt meinen Wegen und Stationen in allen diesen Gegenden des Geistes nachgegangen und hat davon einen Bericht gegeben und ein Bild gezeichnet, die dem, was sich hier vor uns abspielt, wirklich entsprechen. Sie ist eine im echten Sinne katholische Seele, die Christus und den Menschen dort findet, wo sie wirklich zu finden sind – dort nämlich, wo es um den Sinn unseres Daseins, unsere Bestimmung zu personaler Gemeinschaft und darin um die Erfahrung unseres Bezogenseins auf Transzendenz geht und nicht zuletzt auch um das rechte Reden von diesen »Dingen«. Darum geht es letztlich bei Jesus wie bei Buddha, im Chalzedonense wie im Protestantismus des 19. Jahrhunderts, bei Albert Schweitzer wie bei Karl Barth, bei Bultmann wie bei Jaspers.

Ich möchte keine dieser Erscheinungen in dem Bilde, das Imelda Abbt von meinem Denken gezeichnet hat, missen, weil sonst etwas Wesentliches in dem Ganzen, in das sie dessen Vielfalt gebracht hat, fehlen würde.

Wenn man sich in ihre Darstellung meines Denkweges vertieft, so wird man aber auch merken, daß es darin letztlich nicht bloß um meine Theologie und mein Christusverständnis geht, sondern um das, was der Name dieser seltsamen Wissenschaft besagt, und darum, daß wir uns selber und einander besser verstehen lernen, wofür uns *Christus* zu einem Symbol der Verheißung werden kann – in *Tradition* und *Existenz*.

Basel, am 1. August 1977   *Fritz Buri*

EINLEITUNG

Die zentrale Frage, um die Buris Schaffen kreist, ist diejenige nach dem Sinn des Menschseins. Sie hat ihn seit seiner Jugend bewegt und gab ihm immer wieder neuen Antrieb und Schaffenskraft. Für Buri ist sie letztlich eine religiöse Frage, besteht doch das Wesen jeder Religion im Ringen um diese Frage. Aber nicht nur Religion bemüht sich um Sinn. Wenn Kant fragt: Was kann ich wissen? Was soll ich tun? Was darf ich hoffen? ist auch er, als Philosoph, von der Sinnfrage geleitet. Für Buri nun ist nicht nur seine eigene religiöse Tradition von theologischem Interesse, sondern jedes Bemühen um Sinn überhaupt, ob es auf dem Gebiet der christlichen Theologie, der Philosophie, der Dichtung, der Kunst oder in anderen Religionen stattfindet. Überall wo es Menschen gibt, sind auch die letzten Fragen präsent, selbstverständlich auch – und für Buri entscheidend – in der Bibel und in den recht verstandenen Dogmen. In Christus ›inkarniert‹ sich für Buri dieser letzte Sinn und kommt voll zum Tragen.

Buris Theologie ist ein bestimmtes Selbstverständnis des Menschen zugrunde gelegt. Es ist dem Existenzdenken verpflichtet. Nun ist das Wort ›existenziell‹ in neueren theologischen Werken zwar oft anzutreffen. Es ist auch nicht zu leugnen, daß existenzielle Überlegungen für die Lösung theologischer Fragen immer wieder fruchtbar gemacht werden. Es ist mir aber, außer Buri, kein systematischer Theologe bekannt, der in seinem *ganzen* theologischen Schaffen von ›Existenz‹ ausgeht und alle Fragen im Lichte von ›Existenz‹ löst. Buri gibt nicht nur existenzielle Antworten auf einzelne Fragen, sein existenzieller Ansatz ist in allen seinen Veröffentlichungen bruchlos durchgehalten, ob es sich um systematische Werke, Aufsätze, Rezensionen, Vorträge oder Predigten handelt. Dabei scheut Buri kein Thema und keine Konsequenz.

Buris theologisches Werk hat nicht das Echo gefunden, das man ihm wünschen würde. Buri ist nicht ein Denker, der ständig nach dem Zeitgeist Ausschau hält und so auch immer etwas Aktuelles zu sagen hat. ›Man‹ muß sich daher auch nicht mit ihm befassen. Und dennoch ist Buri von stetiger Aktualität, insofern er unermüdlich das Vordergründige – *alles* Vordergründige, auch das theologische – auf den dahinterstehenden Sinn hin befragt. Dabei werden immer die Möglichkeiten eines *menschlichen* Denkens ausdrücklich in Anschlag genommen. Das heißt: es ist ein existenziell-*kritisches* Theologisieren, das auch vor einer wissenschaftlichen Einstellung zu bestehen vermag. So gern Buri erbauen möchte, so sehr er sich freuen würde, wenn es mehr Theologen seiner Art gäbe usw., er machte in diesem Punkt keine Zugeständnisse. Seinen kritisch-existenziellen Ansatz aufzugeben, hätte ihm bedeutet, sich als Theologen aufzugeben.

Wie gesagt, hat Buri nicht das Echo gefunden, das anderen Theologen beschieden war. Das hat dieser Dissertation eine bestimmte Eigenart gegeben. Da eine wissenschaftliche Auseinandersetzung mit Buris Theologie kaum stattfand, gibt es wenig

Sekundärliteratur[1]. Die Arbeit mußte sich also auf die Primärquellen stützen. Die allerdings sind reichlich vorhanden. Denn Buri selber hat viel publiziert. Die Bibliographie, die 1971 erschienen ist[2], umfaßt weit über 400 Titel.

Was Buris Christus-Verständnis betrifft, so ist es überall in seinen Werken präsent. Eine eigentliche Christologie aber, in der er systematisch allen christologischen Fragen nachgeht, hat er bis anhin nicht veröffentlicht. Für diese Arbeit bedeutete das, daß das Christologische aus den verschiedenen Schriften Buris zusammengetragen und in eine gewisse Systematik gebracht werden mußte. Daß das Ganze auch anders hätte angeordnet werden können, sei gerne zugegeben. Doch scheint mir kein wesentlicher Punkt in Buris Christus-Verständnis zu fehlen.

Beim Studium der Schriften Buris wurde mir immer mehr klar, daß sein Christus-Verständnis einem fremd bleiben muß, wenn man nicht seine wissenschaftliche Herkunft und seine theologischen und denkerischen Voraussetzungen kennt. So weit ich das beurteilen kann, ist diese Kenntnis weder im evangelischen noch im katholischen Raum selbstverständlich. In einem ersten Teil möchte ich deshalb versuchen, Buris wissenschaftliche Herkunft und Position kurz zu umreißen. Notgedrungen kann dabei nur das Wichtigste zur Sprache kommen. Ich hoffe aber doch, durch diese ›Prolegomena‹ den Einstieg in Buris Christus-Verständnis zu ebnen.

Im zweiten Teil wird Buris Christus-Verständnis dargelegt. Es darf, und das sei zum vornherein gesagt, keine Christologie im traditionellen Sinne erwartet werden. Zwar kommen z. T. altbekannte Probleme zur Sprache, doch werden sie nur auf dem Hintergrund der ›Prolegomena‹ verständlich. Die einzelnen Themenkreise sind so angelegt, daß jeder Buris Christus-Verständnis erweitert, bis Christus in seiner ganzen ›Pantokrator-Fülle‹ erstrahlt. Dieser Christus ist weder an den innerbiblischen, noch an den innerkirchlichen Raum gebunden. Zu Buris Christus-Verständnis gehört jedenfalls das Sprengen jeder objektiven Grenze, was jedoch keineswegs das Aufgeben jedes Maßes bedeutet.

Der dritte Teil will ein Gespräch mit Buri versuchen. Da noch keine fundamentale Auseinandersetzung mit Buris Christus-Verständnis stattgefunden hat, sah ich mich gezwungen, ein Stück weit Neuland zu betreten. Bloß darzulegen, daß traditionelle Christologien anders an die Problematik herantreten, schien mir unnütz. Einiges darüber könnte übrigens bei Fritz Buri selber nachgelesen werden. Ich habe versucht, Buris Ansatz in einem entscheidenden Punkt zu erweitern und aufzuzeigen, welche Korrekturen an Buris Christus-Verständnis – bei aller Wahrung der existenziellen Anliegen – daraus erfolgen müßten. Ich bin mir freilich bewußt, daß es sich um einen Versuch und nicht um eine abschließende Stellungnahme handelt. Dennoch bin ich überzeugt, daß ein Gespräch mit Buri sich in dieser Richtung bewegen müßte.

---

1 Mit Buris Theologie befaßt sich von katholischer Seite u. a.: Konrad Franz, Das Offenbarungsverständnis in der evangelischen Theologie. Band 6, hrsg. v. Heinrich Fries. München, 1971, S. 143–276. Von evangelischer Seite u. a.: Hardwick Charley D., Faith and Objectivity. Fritz Buri and the Hermeneutical Foundation of the Radical Theology. Den Haag, 1971.

2 Buri, Fritz: Bibliographie, in: Zur Theologie der Verantwortung, hrsg. v. Günther Hauff. Bern, 1971, S. 357–375.

Diese Arbeit wurde bei der (katholischen) Theologischen Fakultät, Luzern, als Dissertation eingereicht. Sie ist unter der Leitung von Herrn Professor Dr. Eduard Christen entstanden. Ihm möchte ich an dieser Stelle herzlich danken. Er hat die Arbeit von Anfang an mit großem Interesse und viel Verständnis begleitet. Zu besonderem Dank bin ich auch Herrn Professor Dr. Fritz Buri, Basel verpflichtet. Er hat mir jegliche Hilfe zuteil werden lassen, mich in vielen Aussprachen in seine Theologie eingeführt und auch auf meinen Wunsch ein Vorwort geschrieben. Daß der Reich-Verlag bereit war, die Arbeit noch in diesem Herbst zu veröffentlichen – zum 70. Geburtstag Fritz Buris –, freut mich ganz besonders. Mein Dank gilt schließlich den Ungenannten, die mir direkt oder indirekt mit ihrem Rat und ihrer Hilfe zur Seite standen.

FRITZ BURI

Das dreifache Heilswerk Christi und seine Aneignung im Glauben

Theologische Forschung Band 28
104 Seiten, Englische Broschur, 10,– DM

HERBERT REICH · EVANGELISCHER VERLAG GMBH
2000 HAMBURG 651 · BERGSTEDTER MARKT 12

ERSTER TEIL

BURIS HERKUNFT UND THEOLOGIEVERSTÄNDNIS

Auf zwei Dinge soll Fritz Buri immer mit Kopfschütteln reagiert haben: Wenn jemand befand, er sei kein Christ, und wenn jemand ihn nicht für einen liberalen Theologen halten wollte[1]. Liberale Theologen haben sein Studium von Anfang an geprägt: in Bern: Hermann Lüdemann, Martin Werner; in Basel: Bernhard Duhm, Paul Wernle; in Marburg: Rudolf Bultmann, Rudolf Otto; und in Berlin: Arthur Titius, Adolf Deissmann und Hans Lietzmann. Vor allem jedoch wurde die Begegnung und die Auseinandersetzung mit dem Ideengut Albert Schweitzers (1875–1965) sowie die Beschäftigung mit der Philosophie Karl Jaspers (1883–1969) für sein theologisches Wirken bedeutsam.

I. Der Einfluß Albert Schweitzers

»Albert Schweitzer ist schuld daran, daß ich Pfarrer geworden bin. Als Knabe habe ich mit Begeisterung Berichte von Pionieren, Forschungsreisenden, Kolonisatoren gelesen. Aber alle wurden weit in den Schatten gestellt, als ich mir nach einem Orgelkonzert, das Schweitzer in der Kirche unseres Schulstädtchens gab, ›Zwischen Wasser und Urwald‹ erstand. Ich besitze das Büchlein, das die Jahreszahl 1921 trägt, noch heute. Das schlechte Papier von damals ist stockfleckig geworden, das Blau des Deckels verblichen, und der Rücken fehlt. Ich habe oft daraus vorgelesen und kann manche Seite fast auswendig hersagen. Der ungewöhnliche Missionar in seinem Urwaldspital war der Traum meiner Jugend.
Aber auf der Universität verflog die Romantik. Gegen Ende des Studiums kam mir die Theologie selber wie ein Urwald vor ... bis mir Schweitzer in seiner ›Geschichte der Leben-Jesu-Forschung‹ und in seinem Paulus-Buch wie ein riesiger Holzfäller erschien, der in das Dickicht der christlichen Überlieferung einen Weg bahnte, auf dem man gehen konnte, und Lichtungen schlug, in denen sich etwas Neues bauen ließ«[2].
Um zu zeigen, auf welche Art Schweitzer Buri in seinem theologischen Suchen weitergeholfen hat, möchte ich kurz – aus Buris Sicht – die Hauptanliegen Schweitzers darstellen, weil da die Wurzeln des Jesus-Verständnisses Buris zu finden sind[3]. Schweitzer bediente sich in seinem Schaffen der Methoden der historisch-kritischen Geschichtswissenschaft. Ihn interessierte nicht so sehr wie Jesus heute verstanden wird, sondern wie er damals aufgenommen wurde, und was damals sein Anliegen

---

1 Frau Elsa Buri im Gespräch mit der Autorin.
2 Buri, Fritz: Mein Weg mit Albert Schweitzer, in: Zur Theologie der Verantwortung, hrsg. v. Günther Hauff. Bern, 1971, S. 11.
3 Vgl. Buri, Fritz: Christentum und Kultur bei Albert Schweitzer. Eine Einführung in sein Denken als Weg zu einer christlichen Weltanschauung. Bern, 1941.

war. Das subjektive Jesusverständnis ist, mindestens zunächst, zugunsten des objektiven zurückzustellen. Die historisch-kritische Fragestellung ergänzte er durch Erkenntnisse der problemgeschichtlichen Forschung. Verschiedene Lösungsversuche, wie sie im Laufe der Zeit unternommen wurden, stellte er als ungenügend hin und suchte bessere Wege aufzuzeigen. Forschen bedeutete für ihn ein immer neues Ausprobieren verschiedener Hypothesen bis schließlich das Problem eingekreist ist. Dabei steht der Wissenschaftler immer unter dem Anspruch der Nachweisbarkeit und Überprüfbarkeit.

Letzteres wirkte sich sehr deutlich in Schweitzers Jesusbild aus. Sein Jesus denkt und handelt ganz in den Begriffen der spätjüdischen Apokalyptik. Freilich, nicht nur Jesu Enderwartung, auch die Vorstellung seiner messianischen Rolle war eine Täuschung. Deshalb geht Schweitzer in seinem theologischen Verständnis über das Neue Testament hinaus. Er meint, zwischen dem von Jesus postulierten eschatologischen und dem tatsächlichen, nämlich uneschatologischen Geschichtsverlauf, den entscheidenden Ansatzpunkt für eine christliche Theologie sehen zu müssen. Wenn die Taten und Reden Jesu, die uns die Bibel übermittelt, durch ein messianisches Selbstbewußtsein und durch die Naherwartung der Parusie geprägt sind, und diese sich als Irrtum erwiesen haben, was haben wir dann als Gläubige von Jesus zu halten?

Jesus wird nach Schweitzer dann Autorität für uns, »wenn wir den *Sinngehalt seiner eschatologischen Verkündigung in unsere uneschatologische Weltanschauung übersetzen*«[4]. Der bleibende Sinngehalt ist der ethische Wille zur Verwirklichung einer dem sittlichen Ideal entsprechenden Welt. Dies ist nur unter dem Einsatz der eigenen Person möglich. Für sein Jesusverständnis ist demgemäß die erwartete Parusie nicht der Ermöglichungsgrund der Weltvollendung, sondern ein Ausdruck seines ethischen Willens. Weil diese Weltvollendung nicht an ein geschichtliches Ereignis gebunden ist, können auch wir dazu beitragen.

Dieser Wille zur Weltvollendung ist »nur in dem Denkendwerden des mit allem Leben verbundenen Willens zur Lebensvollendung«[5] begründet. Die Ehrfurcht vor dem Leben wird damit für Schweitzer zum notwendigen Denkprinzip. Es erhebt den natürlichen Lebenswillen zum Willen, der alles Leben einschließt. Dieser Wille drängt zur absoluten Lebensvollendung und verpflichtet zu unbedingter Hingabe an alles Leben. Diese Ethik ist vom überlieferten Jesus-Glauben unabhängig[6].

Schweitzer betont jedoch sehr stark, daß Jesu Reich-Gottes-Glaube ein einzigartiger Ausdruck der Ehrfurcht vor allem Leben sei. Die Heilsgeschichte – wie sie das traditionelle Christentum bis anhin verstand – ist für ihn hinfällig geworden. Die Eschatologie Jesu wird – kulturethisch – in »Ehrfurcht vor dem Leben« übersetzt. Überall wo ein sittlicher Liebeswille am Werk ist (wie dies zum Beispiel an den Reich-Gottes-Gleichnissen gezeigt ist), sieht Schweitzer ein Offenbarwerden des ewigen Liebeswillens Gottes.

---

4 Buri, Fritz: Der existentielle Charakter von Albert Schweitzers Jesus-Verständnis, in: Zur Theologie der Verantwortung, S. 14.
5 Buri, Fritz: ebd., S. 14.
6 Vgl. Buri, Fritz: Christentum und Kultur bei Albert Schweitzer, S. 51–70.

Die drei wichtigsten theoretischen Problemkreise für Schweitzer sind, wie dargelegt, a) das spezifische Geschichtsverständnis, b) sein Jesusbild und c) Jesus als Verkörperung eines ethischen Prinzips. Diese drei Problemkreise finden sich auch bei Buri. Es wird später zu zeigen sein, wo er die Linien Schweitzers weiterzog bzw. ihnen eine andere Richtung gab. Vor allem hat Buri immer wieder die Frage nach dem Denkendwerden des mit allem Lebendigen verbundenen Willens zum Leben beschäftigt[7].

Damit ist der wissenschaftliche Einfluß Schweitzers auf Buri umrissen. Buri war aber nicht nur beeindruckt von Schweitzers wissenschaftlicher Position, er übernahm von ihm auch weitgehend die subjektiv-gläubige Einstellung. Schweitzer hielt nämlich eine objektive Darstellung Jesu ohne »*innere Gleichgestimmtheit und -gesinntheit*« mit ihm, ohne »Gemeinschaft des Sehnens und Wollens«[8], das heißt ohne Glauben, nicht für möglich. In dieser inneren Gemeinschaft glaubt er sich der Christus-Mystik des Apostels Paulus verwandt. Sie läßt begreifen, warum Paulus eine Kenntnis Christi dem Fleische nach nicht für das Entscheidende hielt[9], und ist die bleibende Voraussetzung für jedes wirkliche Jesus-Verständnis.

II. Der Einfluß Karl Jaspers'

Schon während des Zweiten Weltkrieges beschäftigte sich Buri mit der Philosophie Karl Jaspers'. Buri hielt zu jener Zeit an der Universität Basel Vorlesungen über Jaspers, Heidegger und Sartre.

Unmittelbar nach dem Zweiten Weltkrieg wurde Jaspers als Ordinarius für Philosophie an die Universität Basel berufen. Buri besuchte dessen Vorlesungen über ›Vernunft und Existenz‹[10]. Er wurde auch persönlich mit ihm bekannt. Diese Zeit wurde für das Denken Buris entscheidend. Die hier gewonnenen und mit der Zeit vertieften Erkenntnisse gehören zu der bleibenden Grundlage seines theologischen Schaffens. »Ich stehe nicht an, anzuerkennen, daß ich mich – außer von Albert Schweitzer – von keinem andern Denker in meiner Theologie so sehr habe beeinflussen lassen wie von ihm«[11].

Es sind vor allem drei Punkte, die für das Verständnis der Theologie Buris von Bedeutung sind: 1) Die Subjekt-Objekt-Struktur des denkenden Bewußtseins, 2) Das Umgreifende und 3) Das Sprechen über das Unobjektivierbare.

---

7 Vgl. Buri, Fritz: Christentum und Kultur bei Albert Schweitzer, S. 109–145. Vgl. auch Buri, Fritz: Der existentielle Charakter des konsequent eschatologischen Jesus-Verständnisses Albert Schweitzers im Zusammenhang mit der heutigen Debatte zwischen Bultmann, Barth und Jaspers, in: Ehrfurcht vor dem Leben, hrsg. v. F. Buri. Bern, 1954.

8 Buri, Fritz: Der existentielle Charakter von Albert Schweitzers Jesus-Verständnis, in: Zur Theologie der Verantwortung, S. 16.

9 Vgl. 2 Kor 5, 16f.

10 Jaspers, Karl: Vernunft und Existenz. Fünf Vorlesungen (gehalten auf Einladung der Universität Groningen als Aula-Vordrachten). Groningen, 1935 (J. W. Wolters), 115 Seiten.

11 Buri, Fritz: Karl Jaspers – ein Lehrer der Kirche, in: Zur Theologie der Verantwortung, S. 63.

1. Die Subjekt-Objekt-Struktur des denkenden Bewußtseins[12]

Buri hat sich in allen seinen Schriften auf irgendeine Weise mit dem denkenden Bewußtsein beschäftigt. Ein denkendes Subjekt ist stets auf einen Gegenstand bezogen. Daß die Zusammenhänge von Subjekt und Objekt z. T. sehr komplizierte Fragen für die Erkenntnistheorie darstellen, beschäftigt uns hier nicht. Es geht lediglich um den Hinweis, daß sich alles Denken in der Polarität von Subjekt und Objekt ereignet. Sobald wir etwas denken, vollziehen wir diese Struktur. Wohl können wir über sie reden, sie damit zum Objekt machend, dürfen aber nicht vergessen, daß wir auch im Moment des Darüber-Redens in ihr sind. Sie ist mit menschlichem Denken schon immer gegeben. Aus dieser Struktur aussteigen zu wollen, hieße uns etwas vormachen. Es ist unmöglich.

Die Einsicht in diese Gegebenheit macht klar, daß alle unsere Aussagen endlich bzw. relativ sind[13]. Konkrete Endlichkeit ist darüber hinaus verzeitlicht, was bedeutet, daß auch jede Aussage nicht nur endlich, sondern auch verzeitlicht bzw. geschichtlich ist. Alles was uns bewußt und damit etwas Denkbares wird, unterliegt unweigerlich der Spaltung in Subjekt und Objekt und ereignet sich in Geschichte.

Wenn alles Denken in dieser Weise strukturiert ist, sind es auch theologische Aussagen. Die Gesetzmäßigkeiten des Denkens bleiben, auch wenn über religiöse Themen gesprochen wird. Wichtig für Buri wurde diese Einsicht vor allem in der Frage nach der göttlichen Offenbarung. Basel erlebte damals die Ära Karl Barths (1886–1968), der sich entschieden gegen alles ›bloß Menschliche‹ in der Offenbarung wehrte. Die Auseinandersetzung mit Barth und das Festhalten an der ›menschlichen‹ Subjekt-Objekt-Spaltung unseres Bewußtseins ließen Buris theologische Position deutlichere Konturen gewinnen. Er wich kompromißlos von jeder objektiven Theologie ab und bekannte sich zu einer »Theologie der Existenz«[14].

2. Das Umgreifende[15]

Wie gesagt, gibt es außerhalb einer subjektbezogenen Gegenständlichkeit keine denkerisch adäquat faßbare Wirklichkeit für uns. Damit ist nicht gemeint, daß das, was dergestalt in unser Bewußtsein tritt, die ganze Wirklichkeit ist. Jaspers kennt noch Anderes, das zwar, wenn wir uns damit denkerisch beschäftigen, ad modum objectorum gefaßt wird, aber nicht im Objekt-Sein aufgeht. Dazu gehört zum Beispiel das Dasein, der Geist, die Existenz, die Welt, und als das Band aller dieser Erscheinungsformen, die Vernunft. Die Vernunft selber unterliegt nicht der Subjekt-Objekt-Spaltung, sondern ist Ermöglichungsgrund bzw. Medium derselben. Alles was

---

12 Unsere Ausführungen zu Jaspers geben Buris Sicht wieder. Vgl. Buri, F.: Karl Jaspers – ein Lehrer der Kirche, in: Zur Theologie der Verantwortung, S. 62–70. Vgl. auch Buri, F.: Denkender Glaube. Schritte auf dem Weg zu einer philosophischen Theologie. Bern, 1966, S. 12–20.

13 Vgl. Buri, Fritz: Dogmatik als Selbstverständnis des christlichen Glaubens. Band I. Bern, 1956, bes. S. 73–130.

14 Vgl. Buri, F.: Theologie der Existenz, in: Zur Theologie der Verantwortung, S. 159–168.

15 Vgl. Buri, F.: Karl Jaspers – ein Lehrer der Kirche, in: Zur Theologie der Verantwortung, S. 67ff. Vgl. auch Buri, F.: Denkender Glaube, S. 38–49.

an Vernünftigem in Erscheinung tritt, das heißt, sich uns zeigt oder offenbart, bezeichnet Jaspers als Weisen des Umgreifenden. Auch das Umgreifende ist gegenständlich nicht mehr adäquat zu fassen, höchstens noch als ›Grenzbegriff‹. Ein Grenzbegriff ist ein Hinweis, daß etwas das Begrifflich-Objektive übersteigt, und zugleich, daß unser Denken offen ist für eine Wirklichkeit, die nicht mehr Gegenstand unter Gegenständen ist. Der Sinn für das Umfassende macht uns offen für einen Raum, in dem kein Gegenstand mehr auftaucht, sondern nur Leere bleibt, sofern er nicht anderswoher gefüllt wird.

Was dem Menschen freilich immer bleibt, ist ein Appell zur Existenzwerdung. Wer sich auf diesen Appell einläßt, wird seiner Verantwortlichkeit und deren Unbedingtheit inne, und damit seiner selbst als Person. Auch hier befinden wir uns nicht im Raum des Objektiven, sondern der Subjektivität und Innerlichkeit. Letzteres bedeutet: ich bin mir da stets mehr, als ich über mich objektiv aussage kann, denn alles objektive, d.i., Allgemeingültigkeit beanspruchende Reden, ist im Raume des Gegenständlichen angesiedelt. Das Ich hat es mit den verschiedensten Objekten und Objektivierungen zu tun. Niemals ist aber damit das Ich- bzw. Personsein erschöpfend zu umschreiben. Objektivierungen sind nicht mein Eigenstes und treffen niemals meine Eigentlichkeit.

Dieses Verständnis von Ich- bzw. Personsein ist der Ansatz der ganzen Burischen Theologie. Von hier aus entwickelt er seine Theologie der Existenz. Über dieses Personsein wird noch Vieles zu sagen sein. Hier nur so viel: auch Personsein ist ein Grenzbegriff, und zwar für Buri der zentrale, tut sich doch nur über ihn der Zugang zum Religiösen auf. Letzteres bedeutet, daß der Religiöse auf ein Jenseits des Subjekt-Objekt-Schemas verwiesen ist.

3. Das Sprechen über das Unobjektivierbare[16]

Was heißt nun, der Religiöse ist über das Subjekt-Objekt-Schema hinaus verwiesen? Ist das alles, was wir dazu zu sagen haben? Müssen wir wie vor einem Geheimnis schweigen? Vom Umgreifenden, das der Religiöse als Ursprung des Appells zu Existenz versteht, wie auch über das Personsein, kann mittels Grenzbegriffen gesprochen werden, sagten wir. Was heißt das näherhin? Das Denken steht an der Grenze des Gegenständlichen und damit an der Grenze dessen, was als allgemein geltend ausgewiesen werden kann. Will ich über das jenseits der Grenze Liegende sprechen, verlieren logische Richtigkeit oder Falschheit ihre Zulänglichkeit. Letzte Lebensfragen sind durch das Logisch-Allgemeine nicht zu lösen. An dessen Stelle sind Kategorien bereitzustellen, die geeignet sind, über das Gegenständlich-Allgemeine hinauszuführen. Jaspers nennt diese Kategorien ›Signa‹ oder ›Chiffern‹.

Diese Signa oder Chiffern sind nach Buri für theologisches Sprechen unabdingbar. Da religiöse Wirklichkeiten niemals adäquat verobjektiviert werden können, ist hier alles Reden ein Reden in Chiffern. Chiffern entbehren nicht jeglicher Objektivität, weisen aber über das Objektive hinaus. Das heißt nicht, daß das Objektive an ihnen

---

16 Vgl. Buri, Fritz: Das Problem des ungegenständlichen Denkens und Redens in der heutigen Theologie, in: Zur Theologie der Verantwortung, S. 189–206. Vgl. auch Buri, Fritz: Karl Jaspers – ein Lehrer der Kirche, in: ebd., S. 69f.

vernachlässigt werden darf. Die Wissenschaftlichkeit einer Theologie wird nach der Sorgfalt im Umgang mit der objektiven Seite der Chiffern bemessen. Letzteres bedeutet, daß Theologie mit Objektivitäten zu tun hat, d. h. nicht mehr unmittelbar mit Gott oder Gottes Offenbarungen, sondern mit verschiedenen geschichtlichen Vergegenständlichungen derselben.

III. Theologie der Existenz

Anfangs der siebziger Jahre bezeichnete Buri in einem Artikel seine Theologie »programmatisch«[17] als Theologie der Existenz. Das bedeutet nicht, daß Buri erst im Laufe der Zeit seinen existenziellen Ansatz gefunden hätte[18]. Buris Denken weist sogar eine bemerkenswerte Konstanz auf. Nachdem er einmal seine theologische Position gefunden hatte, ging er nicht mehr grundsätzlich neue Wege. Seine Theologie wurde jedoch in den vielen Jahren theologischen Schaffens geläutert, nicht zuletzt in der Auseinandersetzung mit Karl Barth. Wie gezeigt, hat sich Buri wohl von Jaspers beeinflussen lassen, seine Theologie der Existenz ist jedoch sui generis. Von Jaspers hat er vor allem das Reden in Chiffern, bzw. Symbolen, sowie das Wissen um unsere Grenzen im gedanklich-sprachlichen Ausdruck übernommen. In diesem Zusammenhang muß freilich ebenso auf Kant verwiesen werden, bei dem Buri den stets wachen kritischen Geist bewunderte.

Theologie der Existenz heißt für Buri u. a., daß theologische Objektivität der ›Existenzwerdung‹[19] dienen muß. Theologie der Existenz ist eine Theologie, die nicht primär Wissen, sondern Hilfe zu existenziellem religiösem Leben bieten will. Objektives Reden, aber auch das Reden in Symbolen und Chiffern, hat eine Funktion zu erfüllen. Funktionen sind wichtig, ja notwendig, sind aber nie etwas Absolutes. Für Buri ist die ganze (christliche) Tradition unter diesem Aspekt der Funktionalität zu sehen. Er setzt sich deshalb auch dauernd mit der Tradition auseinander. Schon seine Akzeßarbeit vom Jahre 1930 war einem Thema gewidmet, das damals die liberale Theologie brennend interessierte, nämlich die Frage nach dem Verhältnis von Glaube und Geschichte[20]. Buris Interesse an der Tradition hat seither nicht abgenommen. Sein Engagement und seine Liebe ihr gegenüber konnte ich selbst erfahren[21]. Mit innerer Glut setzte er sich für das rechte Verständnis von Tradition ein. Nicht zuletzt das Wissen darum, daß um das rechte Verständnis der Tradition immer von neuem gerungen werden muß, ließ ihn in der dogmatischen Theologie neue Wege gehen.

Zu diesen neuen Wegen gehört auch eine spezielle Sicht des Verhältnisses von Wissen und Glauben. Der ganze erste Band der ›Dogmatik als Selbstverständnis des

---

17 Buri, Fritz: Theologie der Existenz, in: Zur Theologie der Verantwortung, S. 159.
18 Siehe unten, S. 34, Anm. 73.
19 Siehe unten, S. 33.
20 Buri, Fritz: Glaube und Geschichte bei Wilhelm Herrmann. Darstellung und Kritik auf Grund seiner gesammelten Aufsätze (herausgegeben von F.W. Schmidt, 1923.), als Akzeßarbeit eingereicht von Fritz Buri, cand. theol. »o.O«, »o.J«.
21 Seminar an der Universität Basel. Wintersemester 1974/75, gehalten von Fritz Buri über ›Texte der protestantischen Theologie von Schleiermacher bis in die Gegenwart‹.

christlichen Glaubens‹[22] ist diesem Thema gewidmet. Wissen und Glauben ist ein uraltes Thema für die Dogmatik und dementsprechend in der Tradition immer wieder reflektiert worden. Buri stellt sich diesem Problem aufs neue, weil es auch für seine Theologie der Existenz entscheidend ist. Es ist nicht nur die Freude am Philosophieren, die Buri hier bewegt. Sein eigentliches theologisches Anliegen ist damit verknüpft.

In einem ersten Schritt soll gezeigt werden, was für Buri Wissen und Wissenschaft heißt; nachher wird sein Verständnis von Glaube dargelegt; deren Erhellung erlaubt uns dann, auf das Wesen einer Theologie der Existenz einzugehen. Erst das Verständnis der letzteren kann uns den Zugang zu Buris Christus-Verständnis eröffnen.

1. Wissen-Wissenschaft

Die Geschichte der Wissenschaft ist eine bewegte Geschichte. Es wurden schon recht verschiedene Wissenschaftsbegriffe entwickelt. Hier geht es freilich nicht darum, allen Auseinandersetzungen um Wissen, Wissenschaft und Wissenschaftlichkeit nachzugehen, sondern zu zeigen, was Buri darunter versteht. Gerade von einem dogmatischen Theologen dürfen da klare und präzise Vorstellungen erwartet werden[23].

a. Die Gegenständlichkeit begrifflich-logischen Erkennens und Denkens[24]

Alles was von uns erkannt wird, wird uns notwendig zum Gegenstand. Es gibt kein Erkennen ohne Gegenständlichkeit. All unser Denken ist ein Denken von etwas. Ein erkannter Gegenstand ist stets Gegenstand für ein Subjekt, von dem er gedacht oder erkannt wird. Es gibt kein Subjekt ohne Objekt und kein Objekt ohne Subjekt. Alles von uns Gedachte oder Erkannte steht in der Subjekt-Objekt-Spaltung. Dies gilt sogar vom Erkennen selber. Auch das Erkennen wird zum Objekt, wenn das Erkennen sich auf sich selber richtet. Objektivität nun – und damit auch die Struktur unserer Lebenswelt – wird uns mittels Begriffe bewußt. Begriffe stehen immer in Zusammenhang mit anderen Begriffen. Ihr Verhältnis zueinander unterliegt bestimmten Gesetzlichkeiten. Deren Eigenart wird in der ›Logik‹ reflektiert und ausdrücklich gemacht. Für unsere Untersuchung ist wichtig, daß zwischen Objektivität

22 Buri, Fritz: Dogmatik als Selbstverständnis des christlichen Glaubens. 2 Bde. Bern, 1956/1962. 10 Kapitel des dritten Bandes ›Die dreifache Schöpfung des dreieinigen Gottes‹ (S. 1–489), liegen druckreif vor. Es fehlt noch die Gotteslehre, die nach Aussagen Buris im nächsten Jahr abgeschlossen werden soll. Vgl. auch Buri, F.: Der Pantokrator. Ontologie und Eschatologie als Grundlage der Lehre von Gott. Hamburg-Bergstadt, 1969. – Diese Schrift ist die Vorwegnahme des dritten Bandes seiner Dogmatik als Selbstverständnis des christlichen Glaubens.
23 Vgl. Buri, Fritz: Dogmatik als Selbstverständnis des christlichen Glaubens. Band 1. Vgl. auch Buri, Fritz: Denkender Glaube. Vgl. ferner Buri, Fritz: Unterricht im christlichen Glauben. 50 Fragen und Antworten. Bern, 1957. bes. S. 15–24.
24 Siehe Buri, Fritz: Dogmatik als Selbstverständnis des christlichen Glaubens. Band 1, S. 75–78.

und logischer Begrifflichkeit eine Korrespondenz besteht, und daß der Existenzdenker daraus Schlüsse zieht.

Solche und ähnliche Überlegungen finden wir denn auch bei Buri immer wieder, und zwar dort, wo er über die Wissenschaftlichkeit der Dogmatik nachdenkt. Das erlaubt ihm zum Beispiel, sich vom Denken Heideggers abzusetzen, das nach ihm einem vorwissenschaftlichen Erkenntnisbegriff verhaftet ist[25], aber auch von einer reinen Erlebnistheologie und ebenso von der klassischen orthodoxen Theologie.

b. Logisch-begriffliche Richtigkeit[26]

Gegenstände werden immer individuell erfahren und erlebt, das heißt: sie können, je nach der inneren und äußeren Erfahrungswelt verschiedener Menschen (Gruppen, Völker), anders und anders gesehen werden. Diese Individualität bedeutet zugleich eine Relativität. Andere Menschen haben u. U. eine von mir verschiedene Erfahrungswelt. Deren Erfahrungen relativieren meine eigenen. Meine Eindrücke – auch wenn sie sehr stark waren – werden damit fließend. Daß die Frage kommt: Was gilt denn nun eigentlich? ist nur zu berechtigt – um so mehr, weil wir um Täuschungen und Irrtümer wissen.

Die Situation, aus der heraus wir danach fragen, was eigentlich gelte, führt auf die Notwendigkeit, logische Begriffe anzuwenden, die Verschiedenheiten der unmittelbaren Erfahrungen auszuklammern und das Gemeinsame zu fassen. Das dabei Erkannte ist mitteilbar. Es gilt als richtig, weil es jederzeit nachprüfbar ist. Aus dem bloß erfahrungsmäßigen Kennen wird so ein ausweisbares Erkennen.

Eben sind wir auf etwas für Buri sehr Wichtiges gekommen: ›Richtigkeit‹[27]. Richtigkeit ist das Ergebnis eines von logischen Gesetzen geleiteten Forschens. Das aber heißt nichts anderes, als daß Richtigkeit mit Objektivität verbunden ist. Objektivität meint hier sinnlich wahrnehmbare Gegenstände, aber auch feststellbare Tatsachen aus Geschichte, Kunst, Ethik, Religion usw. Erkenntnisse dieser Art werden als richtig gewertet, wenn sie in einem als gültig anerkannten Bezugsrahmen geortet, beschrieben, definiert, d. h. als allgemeingültig hingestellt werden können. Daß dieser Bezugsrahmen auch Wandlungen unterworfen, also geschichtlich ist, tut der Richtigkeit keinen Abbruch. Entscheidend ist nur, daß Erkenntnisse, dank Objektivierung, allgemein zugänglich und verfügbar werden. In diesem Falle werden sie als wissenschaftlich bezeichnet.

›Wahrheit‹ dagegen weist diese Eigenschaften nicht auf. Sie ist nicht Ergebnis eines um Verallgemeinerung bemühten Forschens, und kann es nicht sein. Ihr Bereich eröffnet sich, wenn, vor allem im Zusammenhang mit den letzten Lebensfragen, die Brüchigkeit, wenn nicht gar Nichtigkeit, objektiver Erkenntnisse erfahren wird. Wer dann nicht verzweifelt, sondern eine neue, tiefere Dimension erfährt, die ihn trägt und seinem Leben, trotz allem, Sinn gibt, erfährt Wahrheit.

---

25 Vgl. Buri, F.: Theologie mit Jaspers und Heidegger, in: Zur Theologie der Verantwortung, S. 71–84.
26 Siehe Buri, F.: Dogmatik als Selbstverständnis des christlichen Glaubens. Band 1, S. 78–80.
27 Siehe Buri, Fritz: Der Pantokrator, bes. S. 15.

c. Methodische Sachgemäßheit[28]

Daß es neben Richtigkeit eventuell noch etwas anderes, Tieferes gibt, nämlich Wahrheit, darauf kann wissenschaftliches Erkennen selber stoßen. Zwar macht es von sich aus vor nichts halt. Alles Objektivierte, und das sind schlechthin alle Aussagen, können auf ihre objektive Richtigkeit hin überprüft werden. Stets ist jedoch auch die Subjektivität des Erkennenden mit im Spiele. Der Begriff kann sich an ihr – sie verobjektivierend – versuchen, doch ist auch dazu Subjektivität nötig. Und so bleibt ein Rest. Dieser Rest ist erkennend niemals einzuholen, denn ihn einholen hieße wiederum: *mit* diesem Rest ihn ›einzuholen‹. Der Rest bleibt also immer. Die Unmöglichkeit, beim Erkennen jede Subjektivität auszuschalten, macht die Grenzen wissenschaftlichen Erkennens sichtbar. Dieses ist nämlich nur möglich unter der Bedingung, daß sich unobjektivierbare Subjektivität mitvollzieht[29].

Es ist nun nicht nur in bezug auf die Objektivität des wissenschaftlichen Erkennens, sondern ebenso in bezug auf das darin involvierte Subjekt, Sachgemäßheit am Platz. Jedes objektive Erkennen hat mit – gerechtfertigten oder ungerechtfertigten – Einflüssen des Subjekts zu rechnen. Das hat zur Folge, »daß es mir nicht darum gehen darf, einen zum vornherein bezogenen Standpunkt zu verteidigen, oder unter allen Umständen zu einem bestimmten Ergebnis zu gelangen, sondern daß ich bereit sein muß, jeden Ausgangspunkt und jedes Ergebnis in Frage zu stellen und in Frage stellen zu lassen«[30].

d. Relativität und Unabschließbarkeit[31]

Die Gegenständlichkeit jeder Aussage schließt schon rein formal Relativität in sich, denn die Bezogenheit jedes Objektes auf ein Subjekt läßt keine reinen Ansich-Aussagen zu. Aber nicht nur in formaler, sondern auch in inhaltlicher Hinsicht ist wissenschaftliches Erkennen relativ, denn ein Subjekt ist nie nur auf *einen* Gegenstand bezogen. Es sieht sich auf eine Vielfalt von Gegenständen bezogen. Mit anderen Worten heißt das, daß keiner dieser Gegenstände ihre Gesamtheit darstellt und darstellen kann. Damit ist es unmöglich, das Sein als Ganzes wissenschaftlich zu erfassen. Wenn Wissenschaft das versucht, überschreitet sie ihre Grenzen.

Die Einsicht in die notwendige Relativität des wissenschaftlichen Erkennens involviert dessen Unabschließbarkeit. Die Begrenztheit eines bestimmten Standpunktes, einer bestimmten Methode und eines bestimmten Bereiches zieht in Sachen Wissenschaft die Vielfalt der Standpunkte, Methoden und Bereiche nach sich. Daraus entspringen auch immer wieder neue Einsichten und Resultate.

Die begrifflich-logische Gegenständlichkeit jedes Redens, die allgemeine, ausweisbare Richtigkeit, die methodische Sachgemäßheit und das Bewußtsein der Relativität und der Unabschließbarkeit der wissenschaftlichen Aussagen sind Voraussetzungen, von denen Buris Theologie der Existenz bestimmt ist.

28 Siehe Buri, Fritz: Dogmatik als Selbstverständnis des christlichen Glaubens. Band 1, S. 80–82.
29 Dies mußten übrigens in der jüngsten Zeit auch Naturwissenschaftler erfahren und anerkennen.
30 Buri, Fritz: Dogmatik als Selbstverständnis des christlichen Glaubens. Band 1, S. 82.
31 Siehe Buri, Fritz: ebd., S. 82–84.

2. Glaube

A. Glaube als menschliche Möglichkeit[32]

Sofern sich Glaube mitteilen will, muß er sich einen Ausdruck schaffen, der von anderen verstanden wird. Er unterliegt damit auch den Gesetzlichkeiten des Wissens, von denen wir eben gesprochen haben. Das gilt auch da, wo Glaubensaussagen dogmatisiert werden. Als Äußerungen des Glaubens haben sie eine objektive Seite (fides quae). Hinter dieser steht aber unweigerlich der Vollzug des Glaubens, der mit Subjektivität zu tun hat und der etwas Ungegenständliches, Unobjektivierbares (fides qua) ist. Denn im Akt selber kann sich der Glaubende nicht noch einmal zuschauen.

Zwischen Glauben und Wissen besteht aber auch ein unaufhebbarer Unterschied. Wissen ist auf Gegenständliches bezogen, Glauben auf Transzendenz. Transzendenz kann nicht, sowenig wie der Glaubensvollzug, im begrifflichen Denken adäquat erfaßt oder gar durch begriffliches Argumentieren nachgewiesen werden. Alles Reden über Transzendenz ist gegenständlich. Davon macht auch die christliche Botschaft, sei es in der Bibel, sei es in der theologischen Tradition, keine Ausnahme.

Im Folgenden soll nun vom Glaubensvollzug als allgemein menschliche Möglichkeit, von seinem Wahrheitsanspruch und von der Transzendenz die Rede sein. Das Spezifische des christlichen Glaubens wird später zur Sprache kommen. Da der Glaubensvollzug, wie ihn Buri versteht, ein bestimmtes Personverständnis zur Voraussetzung hat, soll dieses zuerst geklärt werden.

a. Glaube und personales Selbstverständnis[33]

Beim personalen Selbstverständnis geht es – wie es der Begriff schon ausdrückt – um ein Verstehen seiner selbst. Was Buri mit Verstehen meint, wird klar, wenn wir es mit dem Begriff ›Erklären‹ konfrontieren.

Erklären ist das Einsichtigmachen eines Sachverhaltes im einzelnen wie im Ganzen. Dies wird ermöglicht durch Zurückführen seiner konkreten Erscheinung auf allgemein nachweisbare Gesetzmäßigkeiten und durch Einordnen in einen schon gegebenen umfassenden Zusammenhang. Dadurch werden Ableitungen des Konkreten aus Allgemeinem ermöglicht. Das Ableiten und Einordnen hat den Zweck, den Sachverhalt in eindeutige Begriffe zu fassen, das heißt, ihn zu definieren. Dieses Definieren erlaubt sodann jedem Verständigen, einen Sachverhalt auf objektiv gültige Richtigkeiten hin zu überprüfen.

Da wir es hier mit begrifflich-logischem Erkennen zu tun haben, stoßen wir auch auf Grenzen des Erklärens. Solche Grenzen sind nicht nur im Bereich der nicht-zu-ver-

---

32 Vgl. Buri, Fritz: Dogmatik als Selbstverständnis des christlichen Glaubens. Band 1, bes., S. 84–92. Vgl. auch Buri, Fritz: Die Wirklichkeit des Glaubens, in: Zur Theologie der Verantwortung, S. 207–224.
33 Siehe Buri, Fritz: Dogmatik als Selbstverständnis des christlichen Glaubens. Band 1, S. 135–138. Vgl. auch Buri, Fritz: Denkender Glaube, S. 51–54.

gegenständlichenden Subjektivität gegeben[34], sondern auch im Bereich des Objektiven. Es wird sich nämlich das Erklären bewußt, daß nicht alle Kategorien für alle Gebiete gleich geeignet sind. Das zeigt sich sehr deutlich, wenn vom Geschichtlichen die Rede ist. Hier hat ›Objektivität‹ eine andere Bedeutung als im Bereich der Gegenstände. Es geht da nicht eigentlich um ein Erklären (Naturwissenschaften) sondern um ein Verstehen (Geisteswissenschaften). In das Verstehen fließt das Subjektive in weit höherem Maße ein als in das Erklären.

Dennoch hat es auch Verstehen mit ›Richtigem‹ zu tun. Auch Verstehen steht in der Subjekt-Objekt-Spaltung und macht nachprüfbare Aussagen. Dies wird freilich schwieriger, beziehungsweise unmöglich, wenn es nicht mehr um objektive geschichtliche Tatsachen geht, sondern um ein sich geschichtlich realisierendes Subjekt, beziehungsweise um das eigene geschichtliche Selbstverständnis. Der Sichverstehende ist im Selbstverständnis Objekt seines Verstehens. Er kann über sich reden, indem er sich verobjektiviert. Dann handelt es sich aber nicht mehr um seinen Verstehens*vollzug*. Der unmittelbare Vollzug ist nicht objektiv faßbar. So hat auch das Verstehen am unmittelbaren Handeln seine Grenze. Es scheitert, und dieses Scheitern führt das Selbstverständnis zum Innewerden seiner wesenhaften Ungegenständlichkeit. Daß es an mir liegt, daß ich mich verstehe, daß ich für mein Selbstverständnis Verantwortung trage, daß ich mich so oder so entscheiden kann, all das läßt sich nicht mehr wirklich erklären, noch wirklich verstehen. Es ist etwas durch und durch Persönliches. Dennoch, ein personales Bewußtsein wäre nicht möglich, gäbe es nicht Erklären und Verstehen. Wie könnte es sonst personales Bewußtsein werden, d. h. wie könnte jemand sonst im Transzendieren des Erklär- und Verstehbaren seiner selbst als Existenz bzw. Person innewerden? Im Scheitern transzendiert er ja das gegenständliche Erklären und Verstehen. Und nur in diesem Transzendieren erfährt er das Unerklär- und Unverstehbare, das ihn umgibt und auf das er sich bezogen weiß, und das er sich als Transzendenz vergegenwärtigt.

Das dargelegte Selbstverständnis, das sich auf Transzendenz bezogen erfährt, ist für Buri Glaube. »Darum ist personales Selbstverständnis der Ort des Glaubens«[35]. Die Erfahrung und Anerkennung der Verwiesenheit auf Transzendenz macht einen Menschen zum Glaubenden. Dieser Glaube darf weder mit ›bloß‹ moralischem, noch mit ›bloß‹ philosophischem Glauben verwechselt werden. Er wächst uns aus dem Unverfügbaren (Transzendenz) zu und ist darum für Buri religiöser Glaube.

b. Glaube und Transzendenz[36]

Für Buri ist es ausgeschlossen, daß ein existenzielles Selbstverständnis ohne Glauben und Transzendenzbezug möglich ist. Ein existenzielles Selbstverständnis, das nur Selbstverständnis bleibt und nicht Glaube wird, gibt es ebensowenig wie Glauben ohne Transzendenzbezug. Daß das mißverstanden, ja gar geleugnet werden kann, liegt zum einen daran, daß auch nichtexistenzielles Selbstverstehen[37] möglich ist,

---

34 Vgl. oben, S. 20.
35 Buri, Fritz: Dogmatik als Selbstverständnis des christlichen Glaubens. Band 1, S. 138.
36 Siehe Buri, Fritz: ebd., S. 138–141.
37 Vgl. ›Menge‹ bei Sören Kierkegaard und ›Man‹ bei Martin Heidegger.

zum anderen, daß existenzielle Implikationen weder empirisch noch theoretisch-spekulativ bewiesen werden können. Nur der existenziell Lebende erfährt, was Glauben heißt, und dieser sieht sich auf Transzendenz bezogen. Daß Scheitern am Objektiven nicht Scheitern schlechthin ist, d.h., daß Erfahrung des Glaubens mehr ist als nur Erfahrung von Nichts, dessen wird inne, wer sich im Scheitern nicht zerbrechen sieht, und glaubend das Leben wagt. Darüber in objektiven (allgemeingültigen) Sätzen Auskunft zu geben, ist nicht möglich. Wer glaubende Existenz erfahren hat, kann sich allenfalls in Chiffren[38] darüber äußern. Und nur wer jemals gläubige Existenz erfahren hat, stößt auf den eigentlichen Sinn der Chiffern.

Für existenzielles Selbstverständnis wird Transzendenz offenbar, auch wenn sie sich dem Erklären und Verstehen entzieht. Weil sie sich nicht erklären und verstehen läßt, kann der Mensch in Sachen Transzendenz und deren Offenbarkeit nicht mit einem ›richtigen‹ Maßstab operieren. Er kann nicht ausschließen, daß auch neue Formen der Offenbarkeit von Transzendenz möglich sind. Zugleich muß darauf hingewiesen werden, daß es auch immer neue Möglichkeiten gibt, sich mit vergangenen Transzendenz-Erfahrungen ›verstehend‹ und ›erklärend‹ zu befassen. Dieses ›Erklären‹ und ›Verstehen‹ kann in einem gewissen Sinn endlos weitergehen, ist es doch bewegt von Fragen nach Sein und Sinn, die eine zureichende theoretische Beantwortung nicht finden können.

Im existenziellen *Selbst*verständnis hingegen geht es nicht darum, ein fremdes Sein zu erklären und seinen Sinn zu verstehen. Hier handelt es sich um das eigene Existieren. Die Subjekt-Objekt-Spaltung ist aufgehoben, das Selbst verwirklicht handelnd, wonach Erklären und Verstehen fragen. Da verwirkliche ich Freiheit und Verantwortung, indem ich mich als Selbst verstehe. »Als je mich selber frei und verantwortlich wissend bin ich frei und verantwortlich, nicht in nachweisbarer Gegenständlichkeit, sondern als Person in der Einheit meines Selbstseins«[39].

Für existenzielles Selbstsein (Person) ist Transzendenz und Bezogensein auf Transzendenz *Wirklichkeit*. In existenzieller Erfahrung ist Transzendenz ganz anders gegenwärtig als für Erklären und Verstehen. Und dennoch geht sie auch in letztere ein. Buri sagt in diesem Zusammenhang, daß Transzendenz weder die Verabsolutierung eines Endlichen ist, noch ein Unendliches, das sich jeglicher Vergegenständlichung entzieht[40]. Wäre es anders, könnten wir nicht um Transzendenz wissen. Ohne irgendwelches Wissen um sie aber wäre sie für uns nichts. Sollen wir um Transzendenz wissen können, muß sie Vergegenständlichungen erlauben, denn Wissen ist ein Phänomen des Bewußtseins, dieses aber steht in der Subjekt-Objekt-Spaltung. Anderseits wäre Transzendenz nicht Transzendenz, ginge sie in Vergegenständlichungen auf.

Transzendenz zeigt sich dem Bewußtsein da, wo Freiheit und Verantwortung in Unbedingtheit realisiert werden. Will man Transzendenz näher bestimmen, muß das adäquat Erklär- und Verstehbare a limine ausgeschieden werden. Es bleiben somit nur Charakterisierungen aus dem Umkreis des Existenziellen. Wo Buri die Transzendenz näher bestimmt, verwendet er mit Vorliebe den Ausdruck ›Person‹, ist

38 Siehe oben, S. 16.
39 Buri, Fritz: Dogmatik als Selbstverständnis des christlichen Glaubens. Band 1, S. 140.
40 Siehe Buri, Fritz: Dogmatik als Selbstverständnis des christlichen Glaubens. Band 1, S. 140.

doch diese für ihn der Inbegriff des Existenziellen. Doch ist die Transzendenz nicht Person wie ein existenziell lebender Mensch Person ist. Transzendente Personalität ist z.B. nicht wieder, wie menschlich-existenzielle, auf Transzendenz bezogen. Zudem ist sie der Ursprung menschlichen Personseins. Ihre Wirklichkeit übersteigt damit nicht nur, wie das menschliche Personsein, die Möglichkeiten eines erklärenden bzw. verstehenden Begreifens. Sie erweist sich auch einem existenziellen Selbstverständnis gegenüber als das Transzendente.

c. Glaube und Wahrheit[41]

Das Wesen der Wahrheit kann nur im Rahmen dessen, was bis jetzt über Selbstverständnis und Glauben gesagt wurde, gefaßt werden. Es wurde gezeigt, daß das Selbstverständnis dort einsetzt, wo das Selbst sich zur Frage wird. Der Mensch versucht, sich aus seiner Umwelt zu verstehen, oder dann aus dem, was er in sich selber erfährt, oder aus beidem. Äußere und innere Erfahrungen eröffnen ihm die grundsätzlichen Verstehensmöglichkeiten seiner selbst. Diese Möglichkeiten gehören aber, und das muß betont werden, dem Bereich des Erklärbaren und Verstehbaren an und übersteigen den Bereich des Gegenständlichen nicht grundsätzlich.

Ein neuer entscheidender Schritt wird da gemacht, wo der Mensch in seinem Fragen nicht nur an äußere Grenzen stößt, sondern sich ihm von innen her eine neue Dimension eröffnet, die sich gegenständlich nicht fassen läßt. Dies ereignet sich da, wo der Mensch seines Selbstvollzuges inne wird. Da, im Vollzug, kann sich ihm auch der Bereich der Transzendenz auftun. Bei diesem Innewerden handelt es sich nicht mehr, wie gesagt, um objektiv Aussagbares. Was da erfahren wird, gehört in den Bereich des Glaubens. Und das hat zur Folge, daß die Beurteilung nicht unter den Kriterien des allgemein und ausweisbar Richtigen steht. Was innerlich je persönlich erfahren wird, hat mit der Sinnfrage zu tun und wird von Buri – im Unterschied zu objektiv ausweisbarer Richtigkeit – Wahrheit genannt. »Wahrheit aber ist für Glauben die Offenbarung der Transzendenz, auf die er sich bezogen erfährt«[42].

Auch wenn sich diese Offenbarung einmal ereignet, bedeutet dies nicht, daß die Wahrheit des Glaubens zu einem Besitz und dadurch verfügbar wird. Es gibt *keine* ›Glaubenswahrheit‹, über die ich verfügen könnte. Wohl gibt es Glaubenswahrheit. Aber im Unterschied zu ›Richtigkeit‹ ist sie ungegenständlich und in der Innerlichkeit des Subjektes beheimatet. Deshalb kann sie nie zu einem auch äußerlich verfügbaren Besitz werden. Sie wird je neu im Glaubensakt, ist »aktuale Wahrheit«[43]. Im Moment, wo dieses Der-Wahrheit-inne-Sein sich artikuliert, tritt es in den Bereich des Gegenständlichen, und wird damit zweideutig.

Zu einer Wahrheitserfahrung gehören demnach drei Momente: 1) das Versagen des Gegenständlich-Objektiven, 2) das Transzendieren desselben, 3) das Innewerden, daß sich Wahrheit nicht adäquat artikulieren läßt.

---

41 Siehe Buri, Fritz: Dogmatik als Selbstverständnis des christlichen Glaubens. Band 1, S. 141–143. Vgl. auch Buri, Fritz: Die Wirklichkeit des Glaubens, in: Zur Theologie der Verantwortung, S. 207–224.
42 Buri, Fritz: Dogmatik als Selbstverständnis des christlichen Glaubens. Band 1, S. 142.
43 Buri, Fritz: ebd., S. 141.

d. Glaube und Geschichtlichkeit[44]

»Glaube . . . ist Geschichtlichkeit«[45], im Gegensatz zu Wissen, das wohl eine Geschichte hat, aber in sich selber ungeschichtlich ist. Zwar kommt das Wissen an kein Ende, indem es der Tradition und auch sich selber kritisch gegenübersteht, sich erweitert, vertieft usw. Aber durch all diese Bemühungen hindurch strebt Wissen nach unveränderlicher Gewißheit und Sicherheit. ›Richtiges‹ muß jedem jederzeit beweisbar sein!

Beim Glauben aber ist es anders. Der Glaube ereignet sich wohl – wie die wissenschaftliche Erkenntnis – an einem bestimmten Ort zu einer bestimmten Zeit. Aber während die wissenschaftliche Erkenntnis jederzeit wiederholt und überprüft und als richtig erwiesen werden kann, muß Glaube je neu und persönlich vollzogen werden. Er ist weder beliebig wiederholbar, noch überprüfbar, noch als ›richtig‹, d. i. als allgemein und notwendig geltend, zu erweisen. Der Glaube ist das ungegenständliche Selbstverständnis des Einzelnen, der sich in historischem Hic et Nunc in Unbedingtheit versteht. Er kann sich zwar zu diesem Selbstverständnis in Distanz setzen, darüber reden, Mitteilungen machen, aber nur unter der Bedingung, daß er es objektiviert und dadurch gleichsam veräußert.

Wie bereits ausgeführt, bedeutet das gläubige Sich-selbst-Verstehen ein Zu-sich-selber-Kommen angesichts der Transzendenz. Es impliziert ein Ja zu Transzendenz »in der unbedingten Übernahme seiner jeweiligen, konkreten und kontingenten Situation als einer unausweichlich gegebenen«[46]. Transzendenz erweist sich dann als Wahrheit und Autorität. Diese Autorität, die sich nur im Vollzug des Selbstverständnisses offenbart, kann allenfalls bezeugt, aber nicht bewiesen, werden. »In der Autorität für Glauben ist das Ewige in der Zeit gegenwärtig. Das Ewige ist der Ausdruck für die Unbedingtheit der Entscheidung«[47].

Für das Verhältnis von Glaube und Historie bedeutet dies, daß der Glaube historische ›Autoritäten‹ viel radikaler in Frage stellt als dies die Wissenschaft je kann. Nicht einzelne historische Tatsachen werden der Kritik ausgesetzt, sondern die Bedingtheit und damit Relativität aller Historie erkannt, eben im Vergleich mit der Unbedingtheit des Glaubens. Es wird die Kritik am Historischen radikalisiert, weil sie nicht mehr innerhistorisch, sondern aus einem geschichtlichen Unbedingtheitsanspruch heraus vollzogen wird. Daher geht es denn in Sachen Glauben auch nicht in erster Linie darum, einzelne historische Fakten in Frage zu stellen, sondern inne zu werden, daß das Objektiv-Historische insgesamt für Glauben sekundär ist. Erst dann nämlich kann das Wesen des Glaubens sichtbar werden, das in aller Historie ein Über-alle-Historie-Hinaus impliziert.

---

44 Siehe Buri, Fritz: Dogmatik als Selbstverständnis des christlichen Glaubens. Band 1, S. 143–146. Vgl. auch Buri, Fritz: Denkender Glaube, S. 81–93.
45 Buri, Fritz: Dogmatik als Selbstverständnis des christlichen Glaubens. Band 1, S. 143.
46 Buri, Fritz: ebd., S. 144.
47 Buri, Fritz: ebd., S. 145.

B. Christlicher Glaube

a. Christlicher Glaube und Historie[48]

Zum Wesen jeden Glaubens gehört – wie oben gezeigt – persönliches Selbstverständnis, Transzendenzbezogenheit und Wahrheitserfahrung. Das gilt auch vom christlichen Glauben. Ein spezifisches Gepräge erhält er nur durch die besondere Art seiner Vergegenständlichung. Dazu gehört zentral die historisch aufgetretene Botschaft von der Heilsoffenbarung in Jesus Christus. Dabei ist nicht primär an die historische Persönlichkeit Jesu zu denken, sondern an den Christus, wie er historisch verkündet wurde[49]. Nur im Zusammenhang mit Historie wird damit natürlicher Glaube zu christlichem Glauben spezifiziert. Dies ist dann der Fall, wenn durch die Begegnung mit der (gegenständlichen) Botschaft von der Offenbarung Gottes in Jesus Christus ein persönliches Selbstverständnis entsteht, das sich, wie oben gezeigt, auf Transzendenz bezogen und darin in unbedingter Wahrheit stehend weiß. Ein solcher Glaube kann an einem Dogma, aber auch an Ergebnissen der theologischen Forschung usw., entstehen. Ganz ohne Bezogenheit auf historische Überlieferungen (Tradition) ist *christlicher* Glaube nicht möglich.

b. Christlicher Glaube und personales Selbstverständnis[50]

Die christliche Überlieferung als Ort des christlichen Glaubens ist sehr mannigfaltig. Beweis dafür ist die Kirchengeschichte. Aber wie immer auch christliche Überlieferung erklärt und verstanden worden ist, etwas Gemeinsames hat sie: sie gibt Anlaß zu einem bestimmten Selbstverständnis. Von der christlichen Botschaft her ergeht ein Appell, sich in einer ganz bestimmten Weise zu verstehen. Dieser Appell kann verschieden vernommen werden, vielleicht sehr eindrücklich, vielleicht nur schwach, vielleicht auch trifft er viele Menschen nicht.

In jedem Fall aber impliziert dieser Appell noch etwas anderes als eine bloße Aufforderung, sich in einer *bestimmten* Weise zu *verstehen*. Wäre dem nicht so, ließe sich die christliche Botschaft mit geisteswissenschaftlichen Kategorien adäquat erfassen. Das aber ist nicht möglich. Seit ihren Anfängen führt die christliche Überlieferung auch über das historisch Erklär- und Verstehbare hinaus, in die Geschichtlichkeit personalen Selbstverstehens. Das heißt, daß für ein wahrhaft christliches Selbstverständnis Glaubenserfahrung unabdingbar ist. Es geht um personalen Glauben, wie aus dem Neuen Testament klar genug hervorgeht. Die christliche Botschaft ist Glau-

48 Siehe Buri, Fritz: Dogmatik als Selbstverständnis des christlichen Glaubens. Band 1, S. 146–148.

49 Nicht Jesus von Nazareth sondern der verkündigte Christus ist durch die Jahrhunderte geglaubt worden, und diesem Glauben verdankt das Christentum seine Geschichte. »Der historische Jesus kann überhaupt weder geglaubt noch verkündigt werden, sondern er stellt einen Gegenstand der Wissenschaft dar und wird als solcher erforscht und bewiesen«. ebd., S. 147. Daß auch von einem existenziellen Ansatz her eine Verbindung zwischen verkündigtem Christus und dem historischen Jesus nicht unmöglich sein muß, versucht der III. Teil aufzuzeigen. Siehe unten, S. 82–84.

50 Siehe Buri, Fritz: Dogmatik als Selbstverständnis des christlichen Glaubens. Band 1, S. 148–151. Vgl. auch Buri, Fritz: Denkender Glaube, S. 98–100.

benszeugnis und möchte dem Menschen ein ganz bestimmtes Selbstverständnis vermitteln. Dies gibt der christlichen Überlieferung einen besonderen Charakter. Sie ist und bleibt Botschaft, Botschaft – und in eins damit auch: Appell – des Glaubens. Das hindert freilich nicht, daß die christliche Überlieferung auch, wie jede Überlieferung, bloß historisch untersucht und erklärt werden kann. Sie wird dann zur historischen Quelle, zu einem Zeugnis der Vergangenheit, das objektiven Untersuchungen zugänglich ist.

Die christliche Überlieferung, die zu einem personalen Selbstverständnis führt, ist aber, wie gesagt, etwas anderes. Daraus erklärt sich auch die sehr hohe Einschätzung der Überlieferung. Für den Glauben ist sie nicht einfach historische Quelle, sondern Botschaft, Appell. Sie wird als immer aktuell verstanden, wenn auch nicht als allgemein ausweisbar. Sie behält gerade ihre Aktualität, weil sie in ihrem Kern nicht auf allgemeine Richtigkeit (die, wie wir oben sahen, im Verlaufe der Entwicklung überholt werden kann) aus ist, sondern auf persönliches Selbstverständnis, das ist auf ein unbedingtes Ja zu Transzendenz in einer bestimmten, kontingenten, geschichtlichten (christlichen) Situation.

c. Christlicher Glaube und Transzendenz[51]

Nach dem bisher Gesagten ist klar, daß es kein persönliches Selbstverständnis gibt ohne Transzendenzbezug. Davon macht auch, wie ebenfalls schon gesagt, das Selbstverständnis eines gläubigen Christen keine Ausnahme. Zwischen einem christlichen Gläubigen und einem anderen Gläubigen besteht jedoch ein Unterschied. Der Transzendenzbezug des christlichen Glaubens weist eine besondere Prägung auf. Die Christusbotschaft verkündet nämlich diesen Transzendenzbezug als Offenbarung Gottes in Jesus Christus. Was das heißt, wird klar, wenn wir den spezifischen christlichen Transzendenzbezug abgrenzen von einem bloßen Jesusverständnis, das absieht von der Offenbarung Gottes in Jesus.

Wenn Jesus nur als historische Größe oder als Vorbild für ein bestimmtes Verhalten (Jesus als Revolutionär, Heiler, Ethiker . . .) gesehen wird, können wir weder von einem christlichen, noch von einem allgemein menschlichen oder natürlichen *Glauben* sprechen. Wohl ist es möglich, daß jemand bei der Beschäftigung mit diesem Vorbild zu unbedingten Entscheidungen und damit Glauben kommt. Aber das ist dann nicht auf die christliche Botschaft als solche zurückzuführen, sondern auf andere Momente. Damit Glauben als christlich anzusprechen ist, muß der Anstoß von der christlichen Botschaft ausgehen. Damit ist auch schon gesagt, daß der Transzendenzbezug des christlichen Glaubens etwas anderes ist als ein ›natürlicher‹ Transzendenzbezug. Der ›natürliche‹ Transzendenzbezug gehört zum personalen Selbstverständnis, das sich verschieden artikulieren kann[52]. Wohl gibt es auch im Laufe der christlichen Geschichte Richtungen, die die allgemeine Offenbarung Gottes betonten. Aber sie stammen nicht aus dem Herzen der Botschaft des Neuen Testamentes. Im Neuen Testament geht es darum, daß sich Gott in Jesus Christus in einmaliger, allein zum

---

51 Siehe Buri, Fritz: Dogmatik als Selbstverständnis des christlichen Glaubens. Band 1, S. 151–153.
52 Siehe oben, S. 26.

Heile führenden, Weise geoffenbart hat. Das ist *DIE* Offenbarung. Die Beziehung zu Gott als Vater gibt es nur über den Sohn. So ist für den christlichen Glauben der Transzendenzbezug entscheidend, der »bestimmt ist durch das Auftreten und stets wieder Verkündigtwerden einer Botschaft, welche die zum Heil führende Transzendenzbezogenheit menschlichen Selbstverständnisses zentral durch die Offenbarung Gottes in Jesus Christus begründet sein läßt und dafür den Anspruch auf Wahrheit erhebt, wie er nur von Glauben vernommen und anerkannt zu werden vermag«[53].

d. Christlicher Glaube und Wahrheit[54]

Der christliche Glaube gab sich seit seinen Ursprüngen nie damit zufrieden, bloß allgemein ausweisbar und damit ›richtig‹ zu sein. Für seine Wahrheit hat er sich stets auf das Wirken des Heiligen Geistes berufen. Schrift und Tradition sprechen da eine einhellige Sprache. Die Wahrheit des christlichen Glaubens hat wesentlich mit dem Wirken des Heiligen Geistes zu tun. Wie auch immer das Problem des Geistes in der Geschichte des Christentums ausgelegt und dargestellt wurde, in der Lehre vom Heiligen Geist kommt doch etwas zum Ausdruck, das die bloße Gegenständlichkeit durchbrechen will. Buri weist in diesem Zusammenhang darauf hin, daß die Berufung auf das Zeugnis des Geistes den drei Bereichen entspricht, die wesentlich zu einer Wahrheitserfahrung gehören[55]: 1) dem Angestoßenwerden im Bereich des Gegenständlichen, 2) dem Transzendieren des Gegenständlichen durch das Innewerden seiner selbst, das zugleich ein Über-sich-selbst-hinausgehoben-Sein impliziert und 3) dem Reden über den Glauben.
Der Heilige Geist ist eine Kraft und Macht, die Gewohntes in Frage und damit den Menschen vor neue Situationen stellt. Nach dem Neuen Testament führte der Geist immer wieder Menschen auf ganz neue Wege. Ebenso haben sich später Menschen, und zwar nicht nur Charismatiker, Ekstatiker und Mystiker, von dieser Macht angestoßen gewußt. In diesen Geisterlebnissen kommt es zu einem Innewerden der Wahrheit. Im Neuen Testament wird der Geist den Jüngern verheißen als Parakleten, der sie in alle Wahrheit einführt. »Nach der Lehre der Kirche geht er [der Geist] ein in ihr Lehramt oder in den Buchstaben der Schrift in einer letztlich nur im Zeugnis des Geistes selbst inne zu werdenden autoritären Weise«[56]. Das heißt: die Wahrheit wird artikuliert, aber nicht in eindeutiger Weise. Es ist deshalb immer wieder zu prüfen, ob die Geister von Gott sind oder nicht. Bei diesem Prüfen muß wiederum der Geist mitwirken. Und so hat sich denn auch die Kirche immer wieder auf die Führung durch den Heiligen Geist berufen, wenn sie sich in verbindlicher Weise äußern wollte.
Die *Struktur* des christlichen Glaubensausdrucks unterscheidet sich somit nicht wesentlich von denjenigen eines menschlichen Glaubensausdrucks überhaupt. Gewiß sind die Traditionen (Gegenständlichkeiten) anders, wie auch das Reden darüber.

53 Buri, Fritz: Dogmatik als Selbstverständnis des christlichen Glaubens. Band 1, S. 153.
54 Siehe Buri, Fritz: ebd., S. 154–156.
55 Vgl. oben, S. 24.
56 Buri, Fritz: Dogmatik als Selbstverständnis des christlichen Glaubens. Band 1, S. 155.

Beiden ist aber eines gemeinsam: sie erleben eine Relativierung des Gegenständlichen auf Hintergründiges (Transzendentes) hin, die nicht im beliebigen Verfügen des Menschen steht, ob man das nun Einbruch der Transzendenz in die Welt des Menschen nennt oder ›Wirken des Heiligen Geistes‹ oder wie immer. Bei aller spezifischen Eigenart steht das christliche Glaubensverständnis nicht isoliert und beziehungslos neben anderen Glaubensverständnissen. Gewiß, für einen christlichen Gläubigen ist die Offenbarung Gottes in Jesus Christus DIE Glaubenserfahrung. Aber sie wird möglich, weil der Mensch von seinem Wesen her auf Glauben hin angelegt ist. Darum verläßt ein Mensch, der Christ wird, den Kreis der Menschen nicht, wenn er sich auch – durch Gnade – als neuen Menschen versteht.

3. Existenzielles Theologisieren

Die Aufgabe der christlichen Theologie ist eine stets neue Besinnung auf die Wahrheit der biblischen Botschaft von der Heilstat Gottes in Jesus Christus. Die christliche Theologie hat dort begonnen, wo Menschen durch Jesus Christus zu einem neuen Selbstverständnis gelangten. Letztlich nicht adäquat Faßbares mußte in Sprache gekleidet werden. Zunächst löste die Theologie – einem zeitbedingten Denken verhaftet – die Aufgabe so, daß sie von Realitäten außer- bzw. oberhalb des Menschen ausging. Im Kampf um die Wahrheit versuchte sie diese immer präziser, sprich objektiver zu fassen, bis sogar Gott zu einer Art Objekt unter, bzw. über anderen Objekten wurde. Gegen diese Verdinglichung des Göttlichen, mag sie auch noch so spekulativ und sublim gefaßt sein, ist existenzielles Theologisieren von allem Anfang an (Kierkegaard) mit Vehemenz angetreten.

Buri fühlt sich, wie ausgeführt, einem existenziellen Denken verpflichtet. Seine radikale Absage an alles Objektive beim Verstehen von Transzendenz rührt vom Kampf gegen ein verobjektiviertes Gottesbild her. Buri kämpft nicht so sehr um neue Glaubensausdrücke, sondern um ein neues Verstehen der alten. Dabei setzt er anthropologisch an. Nur ein adäquates Verständnis des Menschen versetzt uns in die Lage, das in der biblischen Botschaft Gemeinte recht zu vernehmen. Nur auf diesem Hintergrund wird seine Theologie der Existenz verständlich[57].

Wenn Buri programmatisch von einer Theologie der Existenz spricht, im Gegensatz zu einer ›Offenbarungstheologie‹, ist es höchst entscheidend, sein Verständnis von ›Existenz‹ nicht zu verwischen. Um seine Art, Theologie zu betreiben, zu verstehen, müssen nebst dem oben dargelegten Wissenschafts- und Glaubensverständnis noch drei Momente näher erläutert werden: a) Existenz und ›sich geschenkt werden‹; b) Existenz und andere Existenzen und c) Existenz und Symbol.

---

57 Vgl. Buri, Fritz: Theologie der Existenz, in: Zur Theologie der Verantwortung, bes. S. 159–168. Vgl. auch Buri, Fritz; Lochmann Jan Milic; Ott, Heinrich: Dogmatik im Dialog. 3 Bde. Gütersloh, 1973/1974/1976, hierzu bes. Bd. 2, S. 9ff.

a. Existenz und ›sich geschenkt werden‹[58]

Bei existenzieller Selbstverwirklichung erfährt sich der Mensch als bestimmt, als erschaffen, als erwählt, als sich geschenkt. Um diesen Geschenkcharakter weiß Existenz aus Erfahrung. Sie kann das existenzielle Zu-sich-selber-Kommen nicht erzwingen. Sie wird sich zwar ihrer Freiheit und damit ihrer Verantwortung bewußt, aber Selbstverwirklichung weiß sich immer auch als bedingt. Der Mensch erfährt sich daher als Geschöpf. Der Erfahrung des Geschöpfseins entspricht auf der Gegenseite ein Schöpfer der Existenz. Daraus resultiert für den Menschen das Bewußtsein eines Abhängigkeitsverhältnisses. Das Innewerden des Geschenktseins kann aber nur auf dem Weg des begrifflich-gegenständlichen Erkennens vergegenwärtigt werden. Ohne begriffliches Erhellen könnte Existenz nie zur Klarheit über sich selbst kommen[59].

Für eine Theologie der Existenz, in der Buri *den* Weg heutigen Theologisierens sieht, hat das Konsequenzen. Das Sich-geschenkt-Werden, das Unverfügbare, das Gratis wird in der christlichen Theologie mit ›Gnade‹ bezeichnet. Wir werden uns damit in der Christologie noch zu beschäftigen haben. Hier sei nur kurz umrissen, was Buri mit begnadeter Existenz meint, denn das Sich-als-geschenkt-Erfahren gehört notwendig zur Existenzwerdung.

Das Nicht-in-den-Griff-bekommen-Können des Göttlichen ist Wesensmerkmal einer Theologie der Existenz. Darin ist auch eingeschlossen, daß der Mensch über Existenz-Werdung nicht verfügt, auch nicht über seine eigene. Ein Verfehlen von Existenz ist durchaus möglich. Umgekehrt setzt sich, wer sich dem Glauben öffnet, einem Wagnis aus. Theologie der Existenz ist geradezu eine Theologie, die vom Wagnis des Glaubens aus denkt, und zwar nicht aus psychologischen oder ähnlichen Gründen, sondern auf Grund kritischer Erhellung dessen, was Mensch-Sein neben allen gegenständlichen Momenten, auch noch, und im Grunde vor allem, heißt. Existenz erfährt sich immer neu als Geschenk, oder christlich: als immer neue Schöpfung der Gnade.

b. Existenz und andere Existenzen[60]

Als Mensch ist jeder auf andere Menschen angewiesen. Was bisher über Existenz gesagt wurde, trifft auch für jede andere Existenz zu. Eine personale Begegnung mit anderen geschieht jedoch nur, wenn verantwortetes Personsein zum Tragen kommt.

---

58 Vgl. Buri, Fritz: Sich selber geschenkt werden, in: Zur Theologie der Verantwortung, S. 57–62. Vgl. auch Buri, Fritz: Theologie der Existenz, in: ebd., S. 159–168.

59 Hier wäre u. a. ein Ort, wo über Offenbarung gesprochen werden könnte. Es ist offensichtlich, daß eine existenzielle Theologie im Sinne Buris nicht von einer objektiv vom Himmel aus ergangenen Offenbarung her denken kann. Offenbarung kann nur die Bedeutung haben, daß biblische Menschen Transzendenzerfahrungen machten und diese (verobjektivierend) artikulierten. Ihr wahrer Sinn erschließt sich aber einem bloß objektiv Forschenden nicht, sondern nur demjenigen der diese Bemühungen selber als Artikulation von Transzendenzerfahrungen nachvollziehen kann.

60 Vgl. Buri, Fritz: Dogmatik als Selbstverständnis des christlichen Glaubens. Band 3 (unveröffentlicht), bes. S. 277–461.

»Es muß wohl sogar gesagt sein, daß wir uns in unserem Personsein nicht ohne anderes Personsein, sondern nur in der personalen Gemeinschaft mit anderen verstehen, wenn wir auch in der Rede, daß wir uns nur vom Du her verstehen, eine dem Personwerden nicht entsprechende Theorie sehen – wie denn überhaupt jede Theorie über die hier in Frage stehende Wirklichkeit deren Ereignischarakter nicht zu fassen vermag«[61]. Personale Gemeinschaft läßt sich denn auch nicht, sowenig wie verantwortetes Personsein, fordern oder gar organisieren. Sie stellt ein Ereignis dar und kann gelingen oder auch mißlingen. Aber alle sind wir zum Personsein aufgerufen und bestimmt.

c. Existenz und Symbol[62]

Theologie der Existenz setzt immer bei der Person ein. Ein anderer Ansatz ist undenkbar, wenn sich diese Theologie nicht selber untreu werden will. Für Existenz, die sich bei ihrer Selbstwerdung ja auf Transzendenz verwiesen weiß, wird Transzendenz offenbar, wie oben[63] gezeigt wurde. Die Formen, in denen Offenbarung artikuliert wird, bezeichnet Buri als Symbol. »Symbole sind die Gegenständlichkeit der Offenbarung, und zwar nicht nur in dem Sinne, daß darin von Offenbarung die Rede ist, sondern auch so, daß Offenbarung darin geschieht«[64].

Das Symbolverständnis Buris kann am leichtesten in der Absetzung zum begrifflichen Zeichen erfaßt werden:

Z e i c h e n

1. Die Wahl des Zeichens ist willkürlich. Wir können irgendeinem Tatbestand irgendein Zeichen zuordnen. Voraussetzung ist nur, daß wir uns auf dieses bestimmte Zeichen für diesen Tatbestand einigen.
2. Das begriffliche Zeichen sagt von sich aus nichts, es ist in sich selber leer. Seine Bedeutung wird ihm zugelegt zum Zwecke seiner Verwendung als Hilfsmittel im Erkenntnisprozeß.
3. Das Zeichen in seiner Funktion als Bezeichnung eines Erkenntnisgegenstandes gilt nur, solange dies zugelassen wird. Mit fortschreitender Erkenntnis kann die Zeichengebung differenzierter und damit verändert werden. Auch völlig neue Zeichen sind möglich.
4. Das Zeichen kann seine Funktion nur ausüben, wenn es allgemein verständlich ist.
5. Das Zeichen bezieht sich ausschließlich auf Gegenstände begrifflichen Erkennens. Es dient dem Wissen.

---

61 Buri, Fritz: Die Wirklichkeit des Glaubens, in: Zur Theologie der Verantwortung, S. 217.
62 Siehe Buri, Fritz: Dogmatik als Selbstverständnis des christlichen Glaubens. Band 1, S. 285–311.
63 Siehe oben, S. 23.
64 Buri, Fritz: Dogmatik als Selbstverständnis des christlichen Glaubens. Band 1, S. 286.

Symbole

Im Unterschied zum Zeichen ist das Symbol folgendermaßen zu charakterisieren:

1. Dort, wo die Zeichensprache an ihre Grenzen stößt, tut sich der Bereich für Symbole auf. Das begriffliche Erkennen – und mit ihm das Zeichen – deckt den Bereich des Gegenständlichen ab. Zeichen stehen im Belieben des Menschen, Symbole nicht. In den Symbolen treten wir der »Freiheit des Seins, sich zu zeigen oder sich nicht zu zeigen, erkennbar oder nicht erkennbar zu sein«[65] gegenüber. Die Freiheit des Seins ist ein So-und-nicht-anders-gegeben-Sein. Das Symbol als Ort, an dem Sein sich kundtut, ist wegen der Freiheit des Seins unserer Willkür entzogen. Für uns ist aber der Offenbarungsort des Seins nicht zu trennen von den Aussagen, die wir darüber machen. »Das Symbol ist die aussagbar gewordene Offenbarung«[66].

2. Das Symbol spricht aus eigener Macht. Es erhält seine Bedeutung nicht durch den Erkenntnisprozeß, wie dies beim Zeichen der Fall ist, sondern legt sich selber aus. Es ist das Sein, das sich im Symbol ausspricht. Wissen erfährt dabei ein Nichts an Gegenständlichkeit, dafür Glauben, Selbstverständnis und Transzendenz. Das Symbol selber ist dabei weder das Nichts an Gegenständlichkeit, noch das Selbstverständnis oder die Transzendenz. Es stellt lediglich deren Offenbar-Werden dar. Das Nichts an Gegenständlichkeit, das Selbstverständnis und die Transzendenz »gibt es für uns nur entweder als begriffliche Zeichen, die auf etwas begrifflich nicht zu Vergegenständlichendes hinweisen – oder dann eben in der Form des Symbols, in welcher das Nichts sich selber ausschweigt – ›nichtet‹ in Heideggers Terminologie – das Selbstverständnis und die Transzendenz jedoch sich aussprechen – als ›Chiffern‹ für Glauben im Sinne Jaspers«[67].

3. Die Offenbarungsmächtigkeit eines Symbols steht nicht in unserer Verfügung. Symbole haben ihre Zeit. Sie treten auf, erweisen sich als mächtig und verschwinden wieder. Weder Wissen noch Glauben können darüber verfügen. Wir können als vernünftige Wesen nur offen sein für das, was wiss- bzw. glaubbar ist.

4. Das Symbol ist, im Gegensatz zum Zeichen, mehrdeutig. Es ist ein Ausdruck und damit eine Vergegenständlichung. Diese kann nun sowohl vom Standpunkt des Wissens als auch vom Standpunkt des Glaubens aus betrachtet werden. Es wird, je nachdem, ob man ihm als Wissender oder Glaubender begegnet, ›schweigen‹ oder ›reden‹. Für den Glaubenden redet es, und zwar in unbedingter Weise. Die Unbedingtheit zerfällt jedoch, sobald sich Wissen an ihm versucht.

5. Das Symbol ist wohl gegenständlich, aber für Wissen zweideutig und nur für Glauben Wahrheit offenbarend. Darin zeigt sich, daß das Symbol, nebst der Gegenständlichkeit, noch eine andere Dimension verkörpert. Man könnte das Wesen des Symbols umschreiben als Gegenständlichkeit des Ungegenständlichen.

65 Buri, Fritz: Dogmatik als Selbstverständnis des christlichen Glaubens. Band 1, S. 289.
66 Buri, Fritz: ebd., S. 290.
67 Buri, Fritz: ebd., S. 290.

d. Die besondere Problematik einer Theologie der Existenz

Aus dem eben Ausgeführten folgt, daß eine Theologie der Existenz mit speziellen Problemen fertigzuwerden hat. Auf der einen Seite ist sie ›-Logie‹, und hat sich in ihrem Gebiet um Richtigkeit und Exaktheit zu bemühen. Auf der anderen Seite tut sich ihr das Wesentliche nur auf, wenn der Bereich des Richtigen überstiegen und Transzendenz erfahren wird.

›Richtig‹ müssen auch für existenzielles Theologisieren alle Aussagen sein, in denen es um objektive Fakten geht. Ein Existenztheologe muß sich ja andern verständlich machen. Das aber geht nur so, daß er sich in einem allgemein anerkannten Bezugsrahmen[68] bewegt. Die Tatsachen, von denen er berichtet, die Symbole, die er braucht, die Kritik, die er anbringt usw., müssen als stimmig empfunden werden. Sein ›Eigentliches‹ aber steht und fällt nicht mit diesem. Es weiß, daß der Bezugsrahmen des Objektiven nicht bei allen Menschen der gleiche ist, nicht einmal bei allen Zeitgenossen. Zudem unterliegt dieser Veränderungen. Trotzdem bemüht er sich um Genauigkeit, Exaktheit, Richtigkeit, d. h. um Wissenschaftlichkeit. Zugleich aber vergißt er nie, daß Wahrheit damit nicht eingefangen ist und nie eingefangen werden kann. Erfahrung von Transzendenzbezogenheit ist unverfügbar, ist Gnade. Der Existenz-Theologe muß also so oder so die theologische Richtigkeit relativieren, sonst hilft er verhindern, daß andere Existenz werden, d. i. Personen werden, die sich von einem Jenseits, von Transzendenz, gehalten und getragen wissen. Wo Richtigkeit absolut gesetzt wird, ist für wahren religiösen Glauben kein Platz mehr. Theologische Richtigkeit relativieren heißt freilich nicht auf sie zu verzichten, wohl aber die Akzente richtig zu setzen. Für ein existenzielles Verständnis von Glauben können theologische Aussagen, wie oben[69] gezeigt, nur eine funktionale Bedeutung haben. Sie sind Hinführung, Anstoß, Provokation zu Glauben. Aber weder produzieren sie echten Glauben, noch sind sie Garantie für echtes Glauben.

Es ist nicht ohne Konsequenzen, wo ein Theologe seine Schwerpunkte setzt. Theologie als Wissenschaft hat es, wie gesagt[70], auch mit Richtigkeiten oder Objektivität zu tun. Im theologischen Bereich muß deshalb ein fortdauerndes Bemühen um genaue historische, philosophische, soziologische, praktische usw. Erkenntnisse stattfinden. Wo die objektive Theologie auf die leichte Schulter genommen wird, wird Theologie über kurz oder lang den Respekt der Menschen verlieren. Doch sind die Resultate dieses Bemühens nicht Selbstzweck. Sie haben dem zu dienen, worum es der Theologie eigentlich geht: dem Glauben, d. i. dem Leben aus Transzendenz. Wer sich als Theologe vorwiegend um dieses Eigentliche bemüht, wie Fritz Buri, folgt in seinem Arbeiten natürlich anderen Kriterien als der objektive Theologe. Auch er hat sich selbstredend um Objektivität oder Richtigkeit zu bemühen. Aber sein Schaffen steht und fällt nicht mit dieser oder jener objektiven Richtigkeit oder Unrichtigkeit. Er sucht theologische Richtigkeit überhaupt, und als solche auf ihre Sinnhaftigkeit hin zu hinterfragen. Diese aber kann für einen Existenz-Theologen nur im Funktionalen gesucht werden: es geht primär nicht um religiöse Kenntnisse und Erkenntnisse, sondern um *Leben* aus dem Glauben.

68 Siehe oben, S. 19.
69 Siehe oben, S. 17.
70 Siehe oben, S. 16/17.

ZWEITER TEIL

DAS CHRISTUS-VERSTÄNDNIS FRITZ BURIS

Vom dargelegten Wissenschafts-, Glaubens- und Theologieverständnis her kann nun Buris Christus-Verständnis angegangen werden. Im Grunde genommen geht es um nichts anderes als um eine konsequente Anwendung existenziellen Denkens auf die tradierte Christologie.

Was aus einem objektivem Vorverständnis her zu Christus gesagt wurde, sucht Buri subjektiv-existenziell zu deuten. Wer dabei eine Christologie im traditionellen Rahmen erwartet, wird enttäuscht sein. Dies mag ein Grund sein, warum Theologen öfter die gefühlsmäßige Überzeugung hegen, Buris Christologie gebe doch nichts her. Es trifft zu, daß der Leser bei Buri vergebens nach langen Erörterungen traditioneller christologischer Fragen sucht. Buri beschäftigt sich eben in einer neuen Weise mit Christus. Sein Ausgangspunkt ist nicht ein wie immer an sich (objektiv) verstandener Christus, sondern der Mensch, der sich als existenziell Glaubenden erfährt. In diesem Horizont freilich wird Vieles und Neues zum Christus-Verständnis gesagt, das m. E. in der Theologie Beachtung verdient.

Nach Buri hat eine christliche Theologie *jede* Aussage von Christus her zu verstehen, bzw. auf ihn als Mitte zu beziehen. Christus ist das Zentrum, was im Bild vom ›Pantokrator‹ sinnenfällig zum Ausdruck kommt. Der Pantokrator bedeutet das Bild dafür, daß »von Schöpfung und Vollendung und damit von Gott als dem Schöpfer und Vollender nur im Blick auf Christus zu reden ist. Der Pantokrator ist das Symbol einer christozentrischen Theologie«[71].

Buri hat Christus immer schon als die Mitte seines theologischen Denkens betrachtet. Das beweisen alle seine Schriften, von den Anfängen an. Denn wann immer Buri von christlich Glaubenden spricht, versteht er christlich als ›christologisch‹[72]. Das bedeutet m. a. W., daß Christologie alle seine Werke durchzieht. Bisher am ausführlichsten hat Buri sein Christus-Verständnis im ›Pantokrator‹ dargelegt. In nuce ist darin der dritte Band der ›Dogmatik als Selbstverständnis des christlichen Glaubens‹ vorweggenommen, der dem Vernehmen nach fast fertig ist und voraussichtlich nächstes Jahr erscheinen wird. Dieser wird sich dann ausführlich und systematisch mit der Christologie beschäftigen.

Im Folgenden versuche ich nun, Buris Christus-Verständnis aus seinen Werken herauszuschälen. Das Kapitel über die wissenschaftliche Herkunft hat gezeigt, wie entscheidend für Buris theologische Entwicklung die eschatologische Frage war[73]. Die Beschäftigung mit diesem Problem bedeutet für ihn den eigentlichen Einstieg in das theologische Denken. Es legt sich deshalb nahe, daß wir uns zuerst mit dem eschatologischen Christus befassen.

---

71 Buri, Fritz: Der Pantokrator. Ontologie und Eschatologie als Grundlage der Lehre von Gott. Hamburg-Bergstedt, 1969, S. 11.
72 Vgl. Buri, Fritz: Zur Theologie der Verantwortung, hrsg. v. Günther Hauff. Bern, 1971, alle Beiträge.
73 Vgl. oben, S. 12–14.

Die Art und Weise wie Buri die eschatologische Frage löste, ließ viele Probleme bezüglich der Tradition entstehen. Was ist die wahre Tradition? Wie ist sie zu verstehen? Hat sie überhaupt noch eine Bedeutung? Diesen Fragen gehe ich im zweiten Abschnitt nach. Die Weise, wie Buri das Gott-Mensch-Dogma angeht, ist paradigmatisch für seine Art zu theologisieren. Er nimmt zuerst das Tradierte auf, stellt es in den geistesgeschichtlichen Zusammenhang und zeigt dann den Weg zu einem existenziellen Verständnis.

Daß Buris Theologie eine durch und durch christologische genannt werden kann, wird vor allem sichtbar, wenn er über Christus in der Schöpfung spricht. Hier sind auch die trinitarischen Aussagen verwurzelt. Erst die Trinitäts-Lehre ermöglicht uns, Christus in der ganzen Fülle zu sehen. Das wird im dritten Abschnitt zu zeigen sein.

In den drei genannten Abschnitten führt der Weg jeweils von tradierten christologischen Aussagen zu einem existenziellen Christus-Verständnis. Was heißt das nun in der Praxis? Dieser Frage gehe ich im vierten Abschnitt, ›Der gepredigte Christus‹, nach. Dabei muß vor allem auf das Gebet und die Kirche eingegangen werden. Eine Christologie, die diese Fragen ausklammern würde, wäre nach Buri sicher verfehlt. Seine Dogmatik soll ja, wie er selber in einer Vorlesung sagte, zum Gebet hinführen. Gebet und Kirche kommen hier allerdings nur so weit zur Sprache, als sie für das Christus-Verständnis relevant sind.

Der letzte Abschnitt, ›Der nicht-biblische Christus‹, soll noch einmal vergegenwärtigen – und zugleich verdeutlichen – was Buri unter ›christologischer‹ Existenz versteht. Zunächst wird Buris Verständnis von demjenigen Bultmanns abgehoben, dann Buris Deutung einzelner Literaten dargelegt, und schließlich noch kurz von Buris Auseinandersetzung mit dem Buddhismus berichtet.

I. Der eschatologische Christus

In den dreißiger und vierziger Jahren dieses Jahrhunderts ist in der Theologie eine eigentliche Wende zur Eschatologie zu verzeichnen. In der Schweiz stieß die eschatologische Frage vor allem an der Theologischen Fakultät in Bern auf starkes Echo, wo Buri seine theologische Dissertation einreichte. Sie trägt den Titel: ›Die Bedeutung der neutestamentlichen Eschatologie für die neuere protestantische Theologie‹[74]. Die Dissertation umreißt auch Buris Verständnis des Neuen Testamentes. An diesem hat sich seither kaum noch etwas geändert.

Vier Jahre nach der Erscheinung seiner Dissertation setzte sich Buri in ›Clemens Alexandrinus und der Paulinische Freiheitsbegriff‹[75] erneut mit der Frage der Eschatologie auseinander. Er zeigt aufgrund einer geschichtlichen Untersuchung die Verschiedenheit der Vorstellungs- und Begriffswelt bei Paulus und bei Clemens. Die Frucht dieser Studie, daß nämlich bei der Anpassung an die Begriffswelt der gläubi-

74 Buri, Fritz: Zürich, 1935, 191 Seiten.
75 Buri, Fritz: Zürich, 1939, 114 Seiten.

gen Gnosis nicht nur die Form, sondern auch der existenzielle[76] Wahrheitsgehalt preisgegeben wurde, ist für Buri eine Bestätigung, daß in der Theologie mit ein paar kosmetischen Änderungen am Tradierten nicht weiterzukommen ist. Es muß ein radikal anderer Weg eingeschlagen werden.

Die damalige eschatologische Welle kann nicht als ein isoliertes Phänomen begriffen werden. Sie hat mit den theologischen Tendenzen und Strömungen des 19. und 20. Jahrhunderts zu tun, ebenso wie Buris Ringen um tragfähige theologische Grundlagen. Es ist deshalb wichtig, daß wir zuerst einen kurzen Blick auf die evangelische Theologie dieser beiden Jahrhunderte werfen.

1. Evangelische Theologie im 19. und 20. Jahrhundert[77]

In der protestantischen Theologie haben sich im Laufe des 19. Jahrhunderts zunächst drei Richtungen herausgebildet: die restaurativ-konfessionelle, die spekulativ-liberale und die zwischen den beiden Extremen vermittelnde Richtung, die Vermittlungstheologie[78]. Aus der letzteren sind zwei Bewegungen hervorgegangen, die für die moderne Theologie besondere Bedeutung erlangt haben: der Ritschlianismus und die dialektische Theologie.

a. Die restaurativ-konfessionelle Richtung[79]

Sie verdankt ihr Entstehen einerseits der allgemeinen Verunsicherung durch die napoleonischen Kriege, andererseits der Gefährdung des überkommenen Glaubens durch die idealistischen Philosophien. Vielen erschien nun auch die Weltanschauung des Rationalismus – der bis dahin die Theologie zu einem guten Teil beherrschte – zu oberflächlich und dessen Verhältnis zur biblischen Geschichte zu einseitig.

Die 95 Thesen, die der norddeutsche Theologe Claus Harms (1778–1855), zusammen mit den Thesen Luthers, zum Jubiläum der Reformation im Jahre 1817 als Flugblatt herausgab, sind ein Beispiel dieser neuen Haltung. Er rief darin auf, zu den ›Vätern‹ zurückzukehren, zurück zur Theologie der Reformation und der altprotestantischen Orthodoxie. Einige Theologen dieser Richtung taten sich stark hervor durch kirchenpolitische Tätigkeiten (z. B. Wilhelm Hengstenberg, 1802–1869, ein skrupelloser Kirchenpolitiker, der die ›Evangelische Kirchenzeitung‹ redigierte). Es kam zu einer eigentlichen Repristinationstheologie, und zwar auf lutherischer wie

76 Siehe Buri, Fritz: Clemens Alexandrinus und der Paulinische Freiheitsbegriff, bes. S. 110–114. Hier findet sich übrigens zum ersten Mal der Begriff ›existenziell‹ bei Buri.
77 Die folgenden Ausführungen orientieren sich stark an einem Seminar, das Buri im Winter-Semester 1974/1975 an der Universität Basel hielt. Vgl. dazu: Kattenbusch, Ferdinand: Die deutsche evangelische Theologie seit Schleiermacher. Fünfte weiter neugestaltete Auflage der Schrift »Von Schleiermacher zu Ritschl«. Gießen, 1926. Ferner Stephan, Horst: Geschichte der evangelischen Theologie (seit dem Deutschen Idealismus). Berlin, 1938.
78 Vgl. Kattenbusch, Ferdinand: Die deutsche evangelische Theologie seit Schleiermacher, bes. S. 34–65.
79 Vgl. Stephan, Horst: Geschichte der evangelischen Theologie, bes. S. 150–162.

auf reformierter Seite. Beim Mecklenburger Oberkirchenrat Theodor Friedrich Detlev Kliefoth (1810–1895) und bei dem Marburger August Vilmar (1800–1868) ging dies so weit, daß sie die Repristination im Kirchen- und Sakramentsbegriff sogar über den Altprotestantismus hinaus in die Nähe der katholischen Lehre durchgeführt sehen wollten.

b. Die spekulativ-liberale Richtung[80]

Sie versuchte die Theologie durch eine Verbindung mit den philosophischen Systemen des spekulativen Idealismus, vor allem demjenigen Hegels, neu zu begründen. Für die Theologie waren hier genügend Anknüpfungspunkte, waren doch die führenden Köpfe des deutschen Idealismus ursprünglich von der Theologie ausgegangen und interessierten sich auch als Philosophen für theologische Fragen. Der späte Fichte (1762–1814) beschäftigte sich zum Beispiel in der ›Anweisung zum seligen Leben‹ mit dem Johannesevangelium. Schelling (1775–1854) hatte als 17jähriger eine Dissertation über den Sündenfall geschrieben und schloß sein Schaffen mit einer ›Philosophie der Mythologie und der Offenbarung‹ ab. Hier äußerte er zum Beispiel auch die Ansicht, der Gegensatz von Protestantismus und Katholizismus werde in einer Johanneskirche der Zukunft überwunden werden. Hegel (1770–1831) erhob für sein System den Anspruch, daß es den Inhalt der christlichen Religion wiedergebe, allerdings nicht mehr in der Form der Vorstellung, wie die Dogmen, sondern in der geläuterten Form des spekulativen Begriffs. In all diesen Auffassungen von Theologie mußte man sich nicht mehr einer Repristination befleißigen, die oft wenig zu tun hatte mit eigenem Denken. In der Spekulation sah man die Möglichkeit, Vernunft und Offenbarung, Wissen und Glauben zu vereinigen. Die stärkste Wirkung ging vom Idealismus Hegels aus. Seine Wirkungsgeschichte zeitigte – auch in der Theologie – zwei Richtungen, die sogenannten ›Rechten‹ und ›Linken‹.
Die ersten Theologen, die sich Hegel anschlossen, waren Karl Daub (1765–1836) und Philipp Konrad Marheineke (1780–1846). Sie übernahmen, wenn man von ein paar Korrekturen absieht, Hegels System, und vor allem seine Religionsphilosophie, mehr oder weniger intakt. Man nannte sie später ›Rechtshegelianer‹. Wie Hegel begriffen sie die Geschichte als verwirklichte Idee. Zwischen Geschichte und Idee besteht kein Widerspruch, im Gegenteil, sie sind ›bloß‹ zwei Seiten ein und derselben Wirklichkeit, nämlich des Geistes. Die biblische Geschichte ist daher nicht weniger (notwendiger!) Ausfluß des Geistes als die spekulative Philosophie Hegels. Beide offenbaren die Absolutheit des Geistes, jene, wie schon gesagt, in der Form der Vorstellung (Historie), diese in der Form des Begriffs.
Der spekulative Idealismus ermöglichte aber noch ein anderes Verhältnis zur biblischen Geschichte. Von der Wahrheit der christlichen Religion bereits aus spekulativen Einsichten heraus durchdrungen, sahen manche in der historischen Authentizität der Bibel eine letztlich unwichtige Frage. Mit anderen Worten, haben früher,

80 Vgl. Stephan, Horst: Geschichte der evangelischen Theologie, bes. S. 138–146.

z. B. im Rationalismus, historische Unrichtigkeiten den christlichen Glauben verdächtig, wenn nicht gar unmöglich gemacht, so waren sie jetzt allenfalls Hinweis darauf, daß die Wahrheit der Religion in der Idee gesucht werden muß und nicht in den mehr oder weniger zufälligen historischen Überlieferungen. Man konnte damit an diese mit aller kritischen Schärfe herantreten. Diese Richtung, ›Linkshegelianer‹ genannt, wird durch Bruno Bauer (1809–1882) und David Friedrich Strauss (1808–1874) angeführt.

c. Die Vermittlungstheologie[81]

Die Vermittlungstheologien suchten zwischen den beiden Extremen – einer Repristination einerseits und einer ›unkirchlichen Freigeisterei‹ andererseits – zu vermitteln. Obwohl es unter ihnen ganz verschieden beeinflußte Theologen gab, war man sich doch darin einig, weder zum altprotestantischen Bekenntnis zurückkehren, noch sich der spekulativen Verarbeitung der Dogmen anschließen zu können. »Die Zeitschrift dieser Richtung, die 1827 gegründeten ›Theologischen Studien und Kritiken‹, wollte, wie es in ihrem Programm heißt, diejenigen sammeln, welche der Meinung sind, daß es in keiner Zeit, am wenigsten aber in dieser, der ›wahren Vermittlung zu viel geben könne‹; sie wolle darum kämpfen, daß schlichter biblischer Glaube und die Gottesgabe des wissenschaftlichen Geistes sich gegenseitig durchdringen, so daß auf der einen Seite die Knechtschaft des Buchstabens, auf der andern die ›Ungebundenheit und Gesetzlichkeit schwärmerischen Geistes‹ überwunden wird«[82].

Schleiermachers ›Der christliche Glaube nach den Grundsätzen der evangelischen Kirche im Zusammenhang dargestellt‹ (1830/31) kann als Idealtypus einer Vermittlungstheologie angesehen werden. Schleiermachers Einfluß reicht allerdings über die Vermittlungstheologie hinaus. Er hat auf Theologen verschiedenster Richtung bestimmend gewirkt. Seine Tendenz zur Verinnerlichung und Ablehnung des aufklärerischen Rationalismus, die seine Theologie kennzeichnen, lassen sich bei den Konfessionellen wie bei den Liberalen feststellen. Die Auseinandersetzung mit Schleiermacher begann denn auch bald. Von den einen wurde seine Theologie als vermittelnd empfunden, von anderen aber, und zwar von rechts und von links, angefeindet. David Friedrich Strauss z. B. warf Schleiermacher u. a. Zweideutigkeit und Verrat der Philosophie an die Theologie und der Theologie an die Philosophie vor.

Die Theologie mußte sich neu finden. Um die Mitte des 19. Jahrhunderts war nämlich die geistige Gesamtverfassung der Zeit alles andere als theologiefreundlich. Der spekulative Idealismus war zusammengebrochen, empiristischer Materialismus herrschte vor. Die Vermittlungstheologie besaß, wegen ihrer vielen Kompromisse, keine Durchschlagskraft mehr. Ihr Erbe trat der Ritschlianismus an.

---

81 Vgl. Stephan, Horst: Geschichte der evangelischen Theologie, bes. S. 169–178.
82 Buri, Fritz: Überblick über die protestantische Theologie von Schleiermacher bis in die Gegenwart, unveröffentlicht, 1975, S. 7.

d. Ritschlianismus[83]

Albrecht Ritschl (1822–1889) ging durch alle drei genannten theologischen Richtungen hindurch, ohne sich einer endgültig anzuschließen. Drei Punkte kennzeichnen seine Theologie: 1. Ritschl will eine Theologie, die frei ist von jeglicher Metaphysik. Er erlebte den Vormarsch der Naturwissenschaften und den Zusammenbruch der spekulativ-idealistischen Metaphysik. Wenn die Theologie nicht völlig weltfremd werden wollte, mußte sie sich von Metaphysik lösen. 2. Ritschl war von der Ausweglosigkeit der restaurativ-konfessionellen Richtung überzeugt. Darum wollte er den christlichen Glauben nicht auf Bekenntnisformeln orthodoxer Art gründen, sondern auf die Offenbarung Gottes in der Geschichte, besonders in der geschichtlichen Persönlichkeit Jesu. Nicht die Schrift, sondern die reale Geschichte, von der die Schrift zeugt, ist der Grund des Glaubens. 3. Für Ritschl mußte Glauben einen Bezug auf Praxis und Leben aufweisen. Er versuchte, den praktisch-moralischen Wert eines Jesusglaubens darzulegen.

Ritschl schlossen sich viele Theologen an. Darunter finden wir auch Wilhelm Herrmann (1846–1922), über den Buri seine Akzeßarbeit[84] schrieb. Wilhelm Herrmann baute die Erkenntnistheorie der Ritschlschen Theologie aus, und zwar in neukantischem Sinne. In Kants erkenntniskritischen und ethischen Gedanken glaubte er die besten Waffen gefunden zu haben, um dem Herrschaftsanspruch des naturwissenschaftlichen Denkens, das damals auch die Religion bedrohte, entgegentreten zu können[85]. Herrmann hat auf die protestantische Theologie, besonders auf die dialektische Theologie, sehr großen Einfluß ausgeübt. Karl Barth hat bei ihm in Marburg studiert und hat sich noch später, wie das auch Rudolf Bultmann und Fritz Buri taten, mit ihm eingehend auseinandergesetzt.

e. Dialektische Theologie[86]

Zur Herausbildung der dialektischen Theologie aus der Ritschlschen hat vieles beigetragen. Einmal ist der aufbrechende Streit um die Geschichtlichkeit der Person Jesu am Ende des letzten Jahrhunderts zu nennen. Die Ritschlsche Theologie geriet mit ihrer Behauptung von der besonderen Offenbarung in der geschichtlichen Person Jesu in Schwierigkeiten. Ein weiteres Moment, das für die Folgezeit von größter Bedeutung wurde, ist die Herausbildung der konsequent-eschatologischen Auffassung des Neuen Testamentes. Letztere wurde bereits von Franz Overbeck (1837–1905) – in seinem Verständnis von ›Christentum und Kultur‹ – wenigstens zum Teil vorausgenommen. Der eigentliche Exponent des eschatologischen Denkens aber war Albert Schweitzer (1875–1965). Nach den Wirren des ersten Weltkrieges kann man von einer eigentlichen Wende der Theologie zur Eschatologie hin

83 Vgl. Kattenbusch, Ferdinand: Die deutsche evangelische Theologie seit Schleiermacher, bes. S. 65–100.
84 Buri, Fritz: Glaube und Geschichte bei Wilhelm Herrmann. »o.O.«, »o.J.«.
85 Vgl. Buri, Fritz: ebd., bes. S. 1–7.
86 Vgl. Kattenbusch, Ferdinand: Die deutsche evangelische Theologie seit Schleiermacher, bes. S. 100–131.

sprechen. Das Anwachsen eschatologischer Sekten (Zeugen Jehovas usw.), die das nahe bevorstehende Weltende verkündeten, sowie die Zuwendung vieler zu okkultistischen Geheimwissenschaften sind unter anderem eine Frucht davon.

Am besten aber hat es wohl die dialektische Theologie verstanden, auf die Sehnsucht der Nachkriegszeit nach etwas ganz anderem einzugehen. Eine Predigt, die verkündete: »Demut weiß: Nicht ich, nicht mein Verstehen und Können, und dieses ›nicht ich‹, dieses ›nicht mein‹ . . . Denken, Können, das ist die hohe Pforte, durch die Gott zu den Niedrigen eingehen kann. Demut heißt: Staunen und warten und hoffen auf das ganz Große, das Gott noch an uns tun will, und wo dieses Staunen Warten und Hoffen ist, da ist dieses ganz Große nicht mehr ferne«[87], fand in dieser Zeit offene Ohren und Herzen. Für die dialektische Theologie war die damalige Lage – und im Grunde jede geschichtliche Lage – eine ›Lage zwischen den Zeiten‹. Diese Welt kann kein Heil bringen, es bricht von der ›andern‹ Seite ein. Dementsprechend sind auch die eschatologischen Fragen nicht innerweltlich zu lösen[88].

Karl Barth, der große Vertreter der dialektischen Theologie, bekämpfte in seinem Römerbrief (1921) jede Theologie, die das Heil in einer innerweltlichen Zukunft erwartet, und zwar aus einem ganz neuen Verständnis des Verhältnisses von Zeit und Ewigkeit heraus. Zeit ist für ihn nicht einfach ein Fluß, der aus der Vergangenheit kommt und in die Zukunft geht. Zeit hat auch – und das ist für ihn wichtiger – eine theologische Dimension: Jede Zeit ist ›letzte Zeit‹ und jede Stunde ruft uns zu: ›Der Herr ist nahe‹. Die Vollendung der Welt in die Zukunft zu verlegen geht am Entscheidenden vorbei. Das Wesen der neutestamentlichen Eschatologie findet sich für ihn in der immerwährenden Spannung zwischen den Zeiten.

In dieser Dialektik ist – trotz der strikten Ablehnung der Endgeschichte – von Naherwartung zu sprechen. Bei der Naherwartung handelt es sich jedoch nicht um zeitliche Nähe. Diese »besteht bei ihm [Barth] in der transzendentalen Bezogenheit des Jetzt auf seinen Ursprung in der Ewigkeit«[89]. So haben wir hier das Beispiel einer ›überzeitlichen‹ Eschatologie, die eine notwendige Ablehnung aller endgeschichtlichen Erwartung bedeutet. Die verkündete Nähe im Neuen Testament hat überzeitliche Bedeutung.

Fritz Buri hat von dieser Lösung der Eschatologie einen entscheidenden Impuls für sein theologisches Denken erhalten. Er kam aber nicht über die Frage hinweg, ob durch die *überzeitliche* Fassung der eschatologischen Naherwartung – als Bezogenheit jeden Augenblicks auf die Ewigkeit – der *historischen* Naherwartung des Neuen Testamentes entsprochen sei. Müßte nicht die historische Naherwartung mitsamt ihrem historischen Nicht-Eintreten ernstgenommen werden? Dann aber ist nicht eine überzeitliche Interpretation der Eschatologie die Lösung, sondern ein grundsätzlich neues Verständnis von Theologie!

Buri, von Schweitzer herkommend und die Linie der spekulativ-liberalen Theologie weiterführend, sieht sich, jedenfalls in Sachen Eschatologie, von der dialektischen Theologie nicht befriedigt.

---

87 Buri zitiert diesen Predigtsatz Barths, in: Die Bedeutung der neutestamentlichen Eschatologie für die neuere protestantische Theologie, S. 39/40.
88 Vgl. Buri, Fritz: ebd., S. 39–55.
89 Buri, Fritz: ebd., S. 44.

2. Das eschatologische Problem[90]

Die Behandlung der Eschatologie war bis zu Johannes Weiß (1863–1914) und Albert Schweitzer der jeweilige Abschluß eines dogmatischen Systems. Die These Schweitzers, daß Jesu Tun und Lehre – auch sein Messiasbewußtsein – vom Spätjudentum her zu verstehen sei, hat die Behandlung der Eschatologie in der althergebrachten Weise radikal in Frage gestellt. »Die ganze Geschichte des ›Christentums‹ bis auf den heutigen Tag, die innere, wirkliche Geschichte desselben, beruht auf der ›Parusieverzögerung‹: d.h. auf dem Nichteintreffen der Parusie, dem Aufgeben der Eschatologie, der damit verbundenen fortschreitenden und sich auswirkenden Enteschatologisierung der Religion«[91].
Ähnlich wie Schweitzer nimmt Buri die Heilserwartung der neutestamentlichen Menschen ernst. Sie rechneten mit einem unmittelbar bevorstehenden Weltende. Das Ausbleiben des Eintrittes des Endes bewirkte bei ihnen Verlegenheit bezüglich der Eschatologie. Diese Verlegenheit hielt in der Theologie bis heute an. Das heißt m.a.W., will ein Theologe dieses Problem nicht mehr oder weniger ausklammern, muß er nach einem gangbaren Ausweg suchen.
Nach Schweitzer ist nicht der Wortlaut der Bibel, sondern ihr Sinngehalt entscheidend. Diesen Sinngehalt sieht er im ethischen Willen zur Lebensvollendung[92]. In derselben Richtung sieht auch Buri die Lösung. »Der Wert einer Eschatologie wird sich für uns demnach bemessen an dem Grade, wie in ihr der ihr zu Grunde liegende Wille zur absoluten Lebensvollendung zum Ausdruck gebracht wird oder nicht«[93].
Worin ist das Wesen dieses Willens zu sehen, der für Buri die treibende Kraft war und ist, eschatologische Vorstellungen zu entwickeln? Der Wille zur Lebensvollendung beinhaltet das Moment des Biologisch-Naturhaften wie des Geistig-Sinnhaften. Sobald der Mensch diese zwei Ziele verwirklichen will, erkennt er jedoch die Not des Daseins, sein Leiden, seine Vergänglichkeit, das Böse, den Tod. Diese Tatsache gilt nicht nur für den Menschen, sondern für alles Dasein. Der ganze Kosmos ist der Vergänglichkeit unterworfen. Dies ist der Boden für das Erlebnis der Differenz von Wollen und Können, von Freiheit und realisierbaren Möglichkeiten. Auf der einen Seite will sich der Mensch vollenden und seinen Lebens-Sinn verwirklichen, auf der andern aber weiß er zugleich um leben- und sinnzerstörende Wirklichkeiten in seinem Dasein. Der Wille zum Leben ist bis zum Tode mächtig. Den Tod kann er allerdings nicht aufhalten. In diese Erfahrung sieht sich jeder Mensch gestellt. Wie ist diesem Rätsel beizukommen? Es gibt verschiedene Möglichkeiten zu antworten. Eine davon ist die Eschatologie. Sie ist immer, in all den verschiedenen

---

90 Diesen Darlegungen liegt Buris Dissertation zugrunde. Die damaligen Überlegungen gelten noch heute, wie der Entwurf zum 3. Band der ›Dogmatik als Selbstverständnis des christlichen Glaubens‹ zeigt, wo Buri bei den Ausführungen über die Kirche auf die Eschatologie (bes. S. 277–305) zu sprechen kommt. Vgl. auch: Buri, Fritz: Jesus Christus, der Herr, und die religiösen Strömungen der Gegenwart. Bern, »o.J.«.
91 Buri, Fritz: Die Bedeutung der neutestamentlichen Eschatologie für die neuere protestantische Theologie, S. 77.
92 Vgl. oben, S. 13.
93 Buri, Fritz: Die Bedeutung der neutestamentlichen Eschatologie für die neuere protestantische Theologie, S. 115.

eschatologischen Konstruktionen, Ausdruck des Lebenswillens. Zugleich sucht sie den Konflikt zwischen Wollen und Können durch den Hinweis auf die von Gott bewirkte neue und vollendete Schöpfung, in welcher es keine Tränen und keinen Tod mehr gibt, zu lösen. So wird der Wille nach Lebensvollendung trotz der Unmöglichkeit, in dieser Welt Vollendung zu erreichen, sinnvoll.

Eschatologie entspringt somit aus der Not unseres Daseins. Sie wird von Buri auch eine »psychologisch erfaßbare Sehnsucht des Menschen«[94] genannt. Damit ist Eschatologie ein »Produkt des menschlichen Erlösungsbedürfnisses«[95]. Zweifelsohne fühlt sich der Leser bei solchen Sätzen an Ludwig Feuerbach (1804–1872) erinnert. Buri setzt sich jedoch von ihm ausdrücklich ab. »Wir begnügen uns, im Unterschied zu Feuerbachs destruktiver Konsequenz, damit, das Vorhandensein dieses Produktes des menschlichen Erlösungsbedürfnisses als eine Gegebenheit unserer Erkenntniswirklichkeit zu registrieren mitsamt seinem illusionären Charakter«[96]. Denn das tatsächliche Vorhandensein dieser Illusion stellt selber keine Illusion dar. Sie bildet einen Teil unserer Wirklichkeit. Die Eschatologie ist also nicht ein Produkt, »das mit der Erkenntnis seines illusionären Charakters sinnlos wird, sondern wir stellen einfach das häufige Vorkommen dieser Illusion fest und werten dieses Vorkommen positiv, indem wir es zu der uns gegebenen Wirklichkeit rechnen, wie jedes andere Gegebene«[97]. Die Möglichkeit zu eschatologischen Konstruktionen ist damit gegeben, daß wir nach Sinnverwirklichung verlangen und doch immer wieder unsere Ohnmacht fühlen, und daß wir uns nach Befreiung aus dieser Situation sehnen. Wenn dann eschatologische Konstruktionen in kritischer Reflexion als Illusionen erwiesen werden, heißt das nicht, daß sie völlig freie Produkte völlig freier Wünsche sind, und daß sie bloß als Illusionen aufgedeckt werden müssen, um ihre Kraft zu verlieren. Nein, diese Illusionen haben ihre Wurzeln in der existenziellen menschlichen Verfaßtheit selber!

a. Sinn der Eschatologie

Einerseits bezeichnet Buri die Lösung des Konflikts zwischen Wollen und Können durch eschatologische Konstruktionen als Schaffung von Illusionen, d. h. als etwas Negatives, und andererseits sind für ihn diese Lösungen mitsamt dem unentwegten Festhalten an derartigen Illusionen etwas Positives. Die positive Wertung dieses Faktums führt uns zum letzten Sinn der Eschatologie. In diesem Fragen folgt der Mensch nämlich nicht primär dem Erkennen; er läßt sich, allem kritischen Reflektieren zum Trotze, von seinem Wollen, d. i. im Sinne Kants, von der praktischen Vernunft führen. Das Wollen setzt sich dem Erkennen gegenüber, das auf allgemein geltende Richtigkeiten aus ist, durch. Die Theorie wird den Bedürfnissen der Praxis untergeordnet. Kraft welchen Rechts? Es ist kein Recht, das sich theoretisch bewei-

94 Buri, Fritz: Die Bedeutung der neutestamentlichen Eschatologie für die neuere protestantische Theologie, S. 128.
95 Buri, Fritz: ebd., S. 132.
96 Buri, Fritz: ebd., S. 132.
97 Buri, Fritz: ebd., S. 132.

sen lassen würde. Vom theoretischen Erkennen aus betrachtet kann man eschatologische Vorstellungen Illusionen nennen. Aber der Mensch läßt sich, wenn es um letzte Lebensfragen geht, nicht allein vom Erkennen bestimmen. Hier geht es nicht um theoretische Richtigkeiten, sondern unter Umständen um die Erhaltung eines Menschen, um Rettung vor totaler Resignation oder gar Verzweiflung. Der Mensch aber braucht immer wieder den Ausblick auf ein Endziel. Ohne diese Lichtblicke, in Arbeit und Kampf, würden alle Hoffnungen zerschlagen. »Aus dieser Notwendigkeit heraus, wird die [praktische] ›Erkenntnis‹ des Wollens für wertvoller gehalten als die [theoretische] Wirklichkeitserkenntnis und dadurch die Möglichkeit geschaffen, sowohl dem Menschendasein einen Sinn zu verleihen, als auch der Antrieb zur Sinnverwirklichung des Lebens im Ausblick auf die Ermöglichung des Ziels hervorgerufen«[98].

Wenn Eschatologie als Produkt des Willens zur absoluten Lebensvollendung gefaßt wird, steht sie in engem Zusammenhang mit der Ethik. Die Ethik begründet das Verhalten, das sich leiten und bestimmen läßt vom Willen zur Sinnverwirklichung des Daseins. Anders gesagt: Sie ist Begründung und Rechtfertigung der Urkraft des Strebens nach Lebensvollendung.

b. Eschatologie und Ethik

Nach Buri gibt es zwei Möglichkeiten, das Verhalten zu bestimmen: a. Der Mensch beurteilt die Wirklichkeit so, wie sie sich seinem theoretischen Erkennen darstellt, nämlich als zwiespältig gegenüber Sinn. Daraus resultiert für den Menschen allerdings kein Weg zur Begründung ethischen Tuns. Ethisches Verhalten ist in dieser Optik sinnlos und unnütz. b. Der Mensch blickt von der realen Außenwirklichkeit, welche ihm das theoretische Erkennen zeigt, weg und wendet den Blick hin auf das neue, ewige Reich, das sich in seinem Innern auftut. Von dieser Warte aus wird ethisches Handeln sinnvoll, ja sogar gefordert. Aus der Hinwendung zur ersehnten Sinnvollendung erwächst neue Kraft. Diese läßt den Menschen, trotz oder gerade wegen der Spannung, in der er lebt, ethisch handeln.

In dieser Frage nimmt das Neue Testament eine einzigartige Stellung ein. Die ethische Grundforderung, Sinn zu verwirklichen und das irdische Dasein zur Vollendung zu bringen, ist zwar von der zeitgeschichtlichen Situation geprägt. Das Besondere menschlicher Situation liegt darin, daß, urchristlich gesehen, dieser Äon im Schwinden begriffen ist und schon durch einen neuen Äon abgelöst wird. Die Herrschaft des Sinnzerstörenden – prägnant symbolisiert in Wilhelm Herrmanns ›Todeswelt‹ – ist bereits gebrochen. Im Menschen selber tritt der neue Äon in Erscheinung, das heißt: er soll und kann sich gemäß dieser neuen Wirklichkeit verhalten. Ein Tun, das sich nicht am neuen Reich mißt, ist aus christlicher Perspektive unethisch, ja Torheit. ›Tut Buße, denn das Reich Gottes ist nahe herangekommen‹[99], zeigt uns den Zu-

---

98 Buri, Fritz: Die Bedeutung der neutestamentlichen Eschatologie für die neuere protestantische Theologie, S. 134.
99 Vgl. Mt 3,2; Mk 1,15.

sammenhang von Eschatologie und Ethik. Dieser programmatische Satz drückt die eschatologische Bestimmtheit der Wirklichkeit im Neuen Testament aus. Das Handeln Jesu, wie das Handeln der um ihn lebenden Menschen, ist eschatologisch bestimmt. Jesus fordert in seinem Bußruf ein Sich-Bestimmen-Lassen vom Wesen des neuen Äons. Die Eschatologie ist dementsprechend konstitutiv für Ethik. Das eschatologische Geschehen ist Ursache wie Wirkung des ethischen Tuns[100].

In welchem Zusammenhang stehen nun die oben erwähnten Ausführungen über die Eschatologie als ein Produkt des im Menschen angelegten – aber durch sein Gebrochensein gehinderten – Willens zur Lebensvollendung? Gerade diese ›menschlichen‹ Überlegungen zeigen, welche Kraft im Neuen Testament wirksam gewesen sein muß. Die Kraft dieses Willens ist so groß und mächtig, daß das Neue Testament nicht nur die überlieferten Formen der spätjüdisch-eschatologischen Apokalyptik übernimmt, um ihm einen objektiven Ausdruck zu geben, sondern daß es diese traditionellen Formen mit der Glut eschatologischer Naherwartung füllt. Die Vollendung, das Ende, bestimmt die Erwartungen. Nachdem die bestehende Welt zum Abbruch bestimmt, bzw. radikal vom Ende her in Frage gestellt ist, kann sie nicht mehr Gegenstand ethischen Tuns sein. Ethisches Tun ist wohl ein Tun in dieser Welt, aber die Beziehung auf das Ende relativiert alles Welt-Immanente. Eine ›Kulturindifferenz‹[101] im Neuen Testament ist die Folge dieser Einstellung. Ganz deutlich tritt dies in der asketischen Einstellung gegenüber Besitz, Ehe, usw. in Erscheinung. Aber auch die Beurteilung des Menschen und seiner Fähigkeiten sind bezüglich Vollendung negativ. Die Möglichkeit, Gutes zu tun, ist eine *eschatologische* Möglichkeit, die mit Gottes Ratschluß zu tun hat.

Aus der Illusion wurde im Neuen Testament Geschichte. Die wirkliche Geschichte strafte die ›Geschichte‹ gewordene Illusion Lügen. Das Ausbleiben der Parusie brachte viele Probleme mit sich. Wozu Buße tun, wenn das Reich Gottes ausbleibt? Der Bußruf Jesu hatte den Sinn verloren. Wenn die Ethik nicht preisgegeben werden sollte, mußte sie in eine uneschatologische Wirklichkeit hineingestellt werden. Aus der weltverneinenden mußte eine weltgestaltende, und aus der kulturindifferenten eine kulturschaffende Größe werden. Dieser Umformung setzte aber die neutestamentliche Ethik aus sich selber heraus größten Widerstand entgegen. Die Folge war, daß die ›enteschatologisierte‹ Eschatologie notwendig zu einer Lähmung der Ethik führte[102].

Wie kann Kultur und bereits angebrochene Endvollendung in ein Verhältnis gebracht werden? Oben wurde gezeigt, wie die dialektische Theologie aus einem neuen Zeitbegriff heraus Antwort gab. Für sie ist die christliche Ethik durch und durch eschatologisch bestimmt, aber nicht als Tun, sondern als eine neue, glaubende, das ist auf Gottes Handeln setzende Haltung. Buri dagegen möchte auf ein neues Verhältnis des Menschen zu seinem eigenen Tun abstellen. Er sieht sich durch das Neue Testament hierin bestätigt, wenn man Inhalt und Form auseinanderhält. Die Aus-

---

100 Vgl. Buri, Fritz: Die Bedeutung der neutestamentlichen Eschatologie für die neuere protestantische Theologie, S. 135–140.
101 Diesen Begriff hat Buri von Schweitzer übernommen. Vgl. Buri, Fritz: ebd., bes. S. 141–147.
102 Vgl. Buri, Fritz: ebd., S. 147–158.

drucksform ist – wie gesagt – die spätjüdisch-eschatologische Apokalyptik. Diese ist vom eschatologischen Wollen (Inhalt) bereits beeinflußt und auch stark von ihr geprägt. Der ›Wille Jesu‹ konnte sich nur in der ihm zur Verfügung stehenden Ausdrucksform eine Gestalt geben. Diese gewaltige Form entsprach dem gewaltigen Inhalt, will aber in unsere Zeit übersetzt sein.

c. *Eschatologische Konstruktionen*

Die geschichtliche Entwicklung, die das Weltende nicht brachte, verlangte, daß alle Energie auf die Behebung der Schwierigkeiten, die durch das Ausbleiben der Parusie entstanden, verwendet wurde. Dies geschah durch neue Konstruktionen und Annahmen. Dadurch ging aber auch der eigentliche Inhalt, ›der ethische Wille, der nach Lebensvollendung trachtet‹[103], zu einem schönen Teil verloren. »Die heutige Theologie muß endlich den Schritt wagen, den ganzen eschatologischen Vorstellungs- und Begriffskomplex, soweit er erkenntnismäßiger Ausdruck sein will, als hinfällig und hinderlich preiszugeben«[104]. Es ist »nichts anderes als ein Mangel an wahrer Religion, an Verständnis und Kongenialität zum Neuen Testament, wenn dieser Schritt nicht gewagt wird«[105].

Die ewige, zeitlos gültige Wahrheit der Eschatologie liegt »in dem in allen diesen hinfälligen Formen lebendigen Willen nach Lebensvollendung, der sowohl zur Aufstellung der neutestamentlichen Eschatologie wie auch der stets wiederholten Neuansätze zu einer befriedigenden Lösung des eschatologischen Problems bis in die heutige Theologie hinein geführt hat«[106]. Der Inhalt der Eschatologie stimmt überein mit dem in uns schöpfungsmäßig gegebenen Willen zum Leben. Solange wir unseren Lebenssinn nicht negieren, anerkennen wir auch den Inhalt der Eschatologie als Wahrheit an. Darum ist der Wahrheitsgehalt der Eschatologie eine der fundamentalsten Tatsachen, die es für unser Leben gibt. Nach dieser These ist es immer wieder Aufgabe der Theologie, zu zeigen, wie sich der eschatologische Wille nach Lebensvollendung in dem Vorstellungsmaterial einer, auch unserer, Zeit kundtun kann und muß. Buri zeigt auf, wie für existenzielles Theologisieren der eschatologische Christus Licht in der Finsternis ist.

Ausgangspunkt der eschatologischen Theologie ist nach Buri nicht die Frage nach dem Weltende, sondern die »ewig gegenwärtige Schöpfungswirklichkeit des lebendigen Gottes«[107]. Hier setzt Theologie der Existenz ein. Jedes ›denkende Bewußtsein‹ wird sich der Tatsache des Geschöpfseins inne. Das Hineingestelltsein in das Geheimnis der Schöpfung ist unsere Situation. Von diesem Standpunkt aus kann der Mensch, theologisch, weder über seinen Anfang noch über sein Ende etwas aussagen. Auch ist es ihm unmöglich, das Problem von Zeit und Ewigkeit zu lösen. Denn

103 Vgl. oben, S. 13.
104 Buri, Fritz: Die Bedeutung der neutestamentlichen Eschatologie für die neuere protestantische Theologie, S. 163.
105 Buri, Fritz: ebd., S. 164.
106 Buri, Fritz: ebd., S. 164.
107 Buri, Fritz: ebd., S. 166.

Zeit gehört wesensmäßig zu unserem Sein, das heißt, unser Sein ist immer verzeit-licht. So wird alles Reden über das ›Unzeitliche‹, das heißt die Ewigkeit, reine Speku-lation sein, ja noch mehr: es verkennt die Schöpfungswirklichkeit. Diese Schöp-fungstatsache erfahren wir zugleich als sinnvoll und als sinnlos, sie schafft Leben und zerstört es wieder. Uns Menschen ist es jedoch gegeben, Sinn und Unsinn zu unter-scheiden und gemäß dieser Unterscheidung uns zu entscheiden. Das ist der Grund, warum der Mensch die Möglichkeit hat, eschatologisch, d. h. auf Lebens- und damit Sinnvollendung hin, zu arbeiten. Der Grund des eschatologischen Tuns ist damit in der Anerkennung des Schöpfungsgeheimnisses zu finden. Wo der Mensch in Aner-kennung und Ehrfurcht vor diesem Geheimnis handelt, geschieht Eschatologie. Eschatologisches Geschehen ist deshalb immer eine Entscheidung, nämlich in Ehr-furcht die Welt anzuerkennen, so wie sie ist, und an ihr nicht zu verzweifeln. Das Schöpfungsgeheimnis ist uns vorgegeben, d. h. es ist ganz aus unserer Kompetenz genommen. Bei ihm geht es nicht um Sinn oder Unsinn, es ist uns einfach gegeben. Es ist das Primäre und kann von uns weder begründet noch hinterfragt werden. Denn »die Möglichkeit des kritischen Wertens in bezug auf Sinn oder Unsinn ist selber eine Setzung des Schöpfungsgeheimnisses«[108]. Das Sinnrätsel als Setzung des Schöp-fungsgeheimnisses fordert von uns Anerkennung und Ehrfurcht. Ein solches Tun wird sich leiten lassen von der Sehnsucht, die nicht in dieser Welt erfüllt werden kann. Darum geht es hier wirklich um ›Die letzten Dinge‹. Durch dieses Tun hin-durch leuchtet der neue Äon. Es geht also nicht um eine Abwendung von der Welt, sondern um eine Hinwendung zu ihr, um durch sie hindurch das ›Eschaton‹ zum Leuchten zu bringen.

d. Christus in eschatologischer Sicht

Wenn wir jetzt als Theologen danach suchen, wo dieses eschatologische Tun in der Geschichte einen Ausdruck gefunden hat, stoßen wir unweigerlich auf Christus. Buri hat sich durch seine Studien der spekulativ-liberalen Theologie und vor allem derje-nigen Albert Schweitzers frei gemacht vom ›Buchstaben‹ der Schrift. Ihm geht es um deren Wahrheitsgehalt. Und »wenn es um die Wahrheitsfrage geht, so ist biblisch oder nichtbiblisch kein Kriterium«[109]. Für ihn ist die Norm »das auf das Wirklich-keitserleben begründete Erkennen«[110]. Von hier aus ergibt sich ihm eine lebendige Beziehung zur neutestamentlichen Eschatologie, und zwar für die denkende Erfas-sung unserer Existenz. Auch wir sehen uns zwischen zwei sich bekämpfenden Wel-ten, wie dies im Neuen Testament der Fall ist. »Alles wahrhaft wertvolle Denken kreist deshalb auch bei uns, wie im neuen Testament um den Christus als die schöp-fungsmäßige Möglichkeit aktueller Sinnverwirklichung mitten in der Sinnlosigkeit der Welt«[111]. Der Unterschied zum Neuen Testament liegt darin, daß existenzielles

108 Buri, Fritz: Die Bedeutung der neutestamentlichen Eschatologie für die neuere protestantische Theologie, S. 169.
109 Buri, Fritz: ebd., S. 171.
110 Buri, Fritz: ebd., S. 171.
111 Buri, Fritz: ebd., S. 172.

Theologisieren mit keiner baldigen Weltvollendung rechnet, daß es bewußt auf alle kosmischen Theologien – auch auf eine Theologie der Endvollendung – verzichtet, und daß es in jedem Handeln, das aus Ehrfurcht vor der Schöpfung geschieht, die eschatologische Möglichkeit der Erlösung in Christus sieht. Diese Erlösung wird Wirklichkeit im Freiwerden von der ›Weltangst‹ und wirkt sich aus als Ehrfurcht vor dem Leben. Somit ist der eschatologische Christus für Buri ein Symbol für die Wahrheit von Existenz, von Existenz, die die Zweideutigkeit des Seienden erkannt hat und durch ihr Verlangen nach absoluter Sinnerfüllung über alle theoretischen Seinsmöglichkeiten hinausweist.

Wie gesagt ist Existenz ihrem Wesen nach immer eschatologisch, d. h. mit Buris Worten: »auf ein alle Seinsmöglichkeiten in Frage stellendes Sinn-Sein, auf ein Eschaton, gerichtet«[112]. Dieses eschatologische Wesen ist Größe und zugleich Not. Zur Selbstverwirklichung ist Existenz aber auf das Seiende – über das sie wegen der Erfahrung der Sinnzweideutigkeit hinaus möchte – angewiesen. Das heißt, menschliche Existenz muß in irgendeiner Art eschatologische Vorstellungen bilden, auch wenn sie weiß, daß das Hilfsmittel sind, um das eigentliche Existenzielle auszudrükken und zu leben. Eigentliche Existenz ist in der Grundhaltung eschatologische Existenz. Christus ist das Symbol, insofern diese Existenz eigentliche, d. h. eschatologische Existenz ist. Existenzielles Theologisieren braucht dementsprechend das Symbol des eschatologischen Christus. Der eschatologische Christus zeigt uns, was wirklich ›Existenz sein‹ heißt. Er weist hin auf das Geheimnis von dem unser Dasein umgeben ist, wonach es sich eigentlich sehnt und wo das wahre ›Glück‹ zu Hause ist.

II. Das Verständnis der nizänisch-chalzedonensischen Christologie

Muß eine Christologie, wie sie beim eschatologischen Christus Buris dargestellt wurde, nicht in unlösbare Schwierigkeiten mit der Tradition und damit mit der ganzen Dogmengeschichte kommen? Ist der eschatologische Christus nicht ein anderer als der durch die Kirche schon in den ersten Jahrhunderten dogmatisierte Gott-Mensch? In der Frage der Gottheit und der Menschheit Christi legten die Konzilien von Nicäa (325: Homoousie des Sohnes mit dem Vater)[113] und Chalcedon (451: in Christus ist die göttliche und menschliche Natur unvermischt, unwandelbar, unzerteilt und unzertrennlich zu einer gottmenschlichen Person vereinigt)[114] die Lehre klar dar.

Die Formulierung der Dogmen bezüglich der Gottheit und Menschheit Christi sind auf dem Boden des griechischen, und das heißt auch eines metaphysischen, Denkens gewachsen. Letzteres war damals freilich kaum mehr als ein ›vulgärer Platonismus‹, durchsetzt mit aristotelischen Kategorien. An sich gab man Platon den Vorzug. Aber in Sachen Logik hielt man es gewöhnlich mit Aristoteles. Und das hatte zur Folge, daß das metaphysische Denken mehr und mehr die Züge eines realistischen Objek-

112 Buri, Fritz: Clemens Alexandrinus und der paulinische Freiheitsbegriff. Zürich, 1939, S. 112.
113 Vgl. Denzinger/Schönmetzer, Nr. 125.
114 Vgl. ebd., Nr. 302.

tivismus annahm. Es ist unschwer festzustellen, daß auch die dogmatischen Formulierungen über die Menschwerdung Gottes davon geprägt sind.

Buri hat mit diesen griechischen Denkvoraussetzungen radikal gebrochen. Für ihn ist die Lehre von ›Christus‹ keine objektive Angelegenheit, die metaphysische Realität beanspruchen darf, bzw. muß, sondern Ausdruck des Selbstverständnisses christlichen Glaubens.

1. Wandel des traditionellen Dogmenverständnisses

Existenzielles Theologisieren, das radikale Absage an alle objektiv-realistische Metaphysik beinhaltet, ermöglicht eine neue Interpretation des Gott-Menschseins Christi. Bis es so weit war, gingen allerdings viele Auseinandersetzungen und Kämpfe über die theologische Bühne. Buris Verständnis des Dogmas ist einer der bisherigen Endpunkte einer langen Entwicklung[115]. Eingesetzt hat sie mit der Ablösung der altprotestantischen Orthodoxie durch die neue protestantische Theologie, d.h. mit dem Pietismus und der Aufklärung. Das Neue an dieser Theologie bestand darin, daß sie nicht mehr von einem realistisch verstandenen Dogma und dessen übernatürlichen Offenbarungsgehalt her dachte. Das Dogma wurde als historisch bedeutsamer Ausdruck des religiös-christlichen Bewußtseins verstanden und vom allgemein-menschlichen und christlich-frommen Selbstverständnis her gedeutet.
Schleiermacher ist der repräsentativste Vertreter dieses neuen Denkens. Er gab – aus diesen Überlegungen heraus – seiner Dogmatik eine ganz neue Struktur[116]. Im Gegensatz zu früher, wo die Lehre der Offenbarung, die sich auf Schrift und Bekenntnis stützte, immer an erster Stelle stand, stellte er der Dogmatik eine allgemeine erkenntnistheoretische Darstellung und Erörterung des religiös-christlichen Bewußtseins voran. Die erkenntnistheoretischen Überlegungen waren vor allem durch religionsphilosophische und -psychologische Überlegungen geprägt. Diese bestimmten die Methoden und Prinzipien, nach denen die christliche Überlieferung auf ihren Wahrheitsgehalt hin zu untersuchen ist. Unter diesen Voraussetzungen wurde nicht nur die christliche Verkündigung, sondern das religiöse Erleben ganz allgemein geprüft.
Damit war etwas ganz Entscheidendes passiert. Nicht mehr das Dogma in seiner ›absoluten‹ Gültigkeit bestimmt die Überlegungen, sondern der Mensch. Seine religiösen Erfahrungen bildeten den Ausgangspunkt des theologischen Denkens. Von diesen Erfahrungen her trat man an Glaubensaussagen, und damit an die Dogmen heran. Vor dieser ›Wende‹ setzte die Theologie, wenn sie über die Menschheit Christi sprach, die Gottheit Christi voraus. Diese Voraussetzung war nun nicht mehr

---

115 Siehe Buri, Fritz: Dogmatik als Selbstverständnis des christlichen Glaubens. Band 2, S. 116–128.
116 Als illustratives Beispiel für die neue Struktur, die Schleiermacher seiner Glaubenslehre gab, sei auf die Art und Weise verwiesen, in der er die Lehre von den Eigenschaften Gottes als Aussagen, die »nicht etwas Besonderes in Gott bezeichnen, sondern nur etwas Besonderes in der Art, das schlechthinnige Abhängigkeitsgefühl auf ihn zu beziehen« (Schleiermacher, Friedrich: Der christliche Glaube nach den Grundsätzen der evangelischen Kirche im Zusammenhange dargestellt, hrsg. v. M. Redeker. Berlin, 1960[7], Bd I, § 50), auf das Ganze seines dogmatischen Systems verteilte (Vgl. ebd., §§ 50–56; 79–85; 164–169). Vgl. dazu auch: Ebeling, Gerhard: Schleiermachers Lehre von den göttlichen Eigenschaften, in: Wort und Glaube II. Tübingen, 1969, S. 305–342.

fraglos gegeben. Manche gingen aber noch weiter, indem sie Aussagen, die bis anhin die Menschheit Christi charakterisierten, auf den Menschen als solchen bezogen. Dies geschah zum Teil so radikal, daß das Menschsein allein die Kriterien zur Beurteilung der Lehre von der Menschwerdung Christi abgab.

Das Problem des Zugleich von Gott und Mensch in Christus, das dem theologischen Denken bis anhin große Mühe machte, war unter diesen neuen Voraussetzungen aufgehoben. Jetzt wurde die Gestalt des Gottmenschen von der Idee der religiös-menschlichen Persönlichkeit her verstanden und beurteilt. Das heißt: beim Verstehen des Dogmas vom Gott-Menschen wurde nicht mehr von Gott, sondern vom Menschen der Ausgang genommen. Das Menschsein war zum Prinzip der Dogmatik insgesamt, das christologische Dogma vom wahren Gott und wahren Menschen zum Ausdruck eines religiös-christlichen Bewußtseins geworden.

Damit war für diese Richtung die theologische Situation insgesamt eine andere geworden. Es konnte jetzt nicht mehr darum gehen, die Gottheit und Menschheit Christi in einer Person gegenüber den verschiedenen Irrlehren zu wahren und zu verteidigen wie bis anhin. Wichtig war nun die Frage, wie die religiöse Persönlichkeit im Rahmen des Religiösen überhaupt zu werten, und welche Bedeutung einer Gestalt wie Jesus für das religiöse Fragen und Erleben beizumessen ist. Die traditionellen Lehraussagen hatten nur mehr insofern Wert, als sie ein Ausdruck dieser religiösen Bedeutung der Erscheinung Jesu in der Geschichte sind.

Schleiermacher hat in diesem Zusammenhang bekanntlich den Begriff der ›Urbildlichkeit der religiösen Persönlichkeit Jesu‹ geprägt. Nach ihm bestand diese in der »»stetigen Kräftigkeit seines Gottesbewußtseins‹ und in der erlösenden Wirkung, die von ihm auf unser religiöses Bewußtsein übergeht«[117]. Schleiermacher fand die Verbindung mit der altkirchlichen Lehre von der Gottheit und Menschheit Christi durch die Deutung dieses Gottesbewußtseins als eines »»eigentlichen Seins Gottes in ihm««[118]. Die Gottmenschheit Christi wurde allerdings psychologisch gefaßt, wie übrigens auch die von ihm ausgehende Erlösung. Die letztere verstand Schleiermacher »als Erhobenwerden des Menschen in die Kräftigkeit des Gottesbewußtseins des Erlösers«[119]. Bei Schleiermacher waren spekulatives Denken und religiöses Erleben noch eng verbunden[120]. In der Folgezeit löste sich die Einheit von Spekulation und Erleben auf. Im vorigen Abschnitt haben wir bereits von den verschiedenen Richtungen der protestantischen Theologie im 19. Jahrhundert gesprochen. Von zweien, nämlich von der spekulativ-liberalen Richtung sowie von der Vermittlungstheologie, hat nun wieder die Rede zu sein[121].

In der spekulativ-liberalen Theologie setzt sich die Spekulation durch. Man hielt an der Urbildlichkeit Jesu als dem christlichen Prinzip schlechthin fest und suchte es, den spekulativen Intentionen gemäß, als allgemeine philosophische Wahrheit auszuweisen. Für diese Richtung ist Alois Emanuel Biedermann (1819–1885) ein Bei-

117 Buri, Fritz: Dogmatik als Selbstverständnis des christlichen Glaubens. Band 2, S. 124.
118 Buri, Fritz: ebd., S. 124.
119 Buri, Fritz: ebd., S. 124.
120 Programmatisch ist diese Einheit von Spekulation und Erleben in den §§ 32–35 der Glaubenslehre formuliert: Das schlechthinnige Abhängigkeitsgefühl »als die einzige Weise, wie im allgemeinen das eigene Sein und das unendliche Sein Gottes im Selbstbewußtsein eines sein kann« (§ 32).
121 Vgl. Buri, Fritz: Dogmatik als Selbstverständnis des christlichen Glaubens. Band 2, bes. S. 123–125.

spiel[122]. Von David Friedrich Strauss beeinflußt, sah er die Aufgabe der spekulativen Dogmatik darin, die religiösen Erkenntnisse von der Stufe der Vorstellung auf die höhere des Begriffes und damit der spekulativen Ebene zu heben. Die überlieferten Dogmen sind als Stationen in diesem Prozeß zu werten und genießen dementsprechend eine hohe Wertschätzung.

Albrecht Ritschl und seine Schüler gingen den anderen Weg. Sie konnten die metaphysischen Voraussetzungen dieses Denkens nicht teilen. Gemessen an der Gestalt des historischen Jesus und den Erfahrungen, die an seiner Person zu machen sind, fanden sie das Prinzip gekünstelt, ja sogar verkehrt. Weder im Dogma noch in einem metaphysischen Prinzip suchten sie den Grund ihres Glaubens, sondern ganz allein in der persönlich erlebten Geschichte mit Jesus[123].

Beide Richtungen sind einander entgegengesetzt. Die Ritschlianer warfen den spekulativ-liberalen Theologen vor, ihr Christusprinzip sei, aufgrund einer Geschichtsmetaphysik, unhistorisch konstruiert. Für die spekulativ-liberalen Theologen dagegen trieben die Ritschlianer eine Theologie, die, prüft man sie auf die erkenntnismäßige Grundlage und den historischen Charakter ihres Jesusbildes hin, kaum mehr als eine Bedürfnistheologie ist.

Diese gegenseitigen Infragestellungen sind später noch verschärft worden durch neue Einsichten, nicht zuletzt im Gefolge einer neuen Geschichtsauffassung. So bedeutete z. B. Albert Schweitzers eschatologischer Jesus das Ende dieser Erlebnistheologie. Das ganz neue Jesusbild entzog den Erlebnistheologen den Boden, auf dem sie standen. Bald zeigte sich aber, daß auch eine konsequent-eschatologische Betrachtung des Neuen Testamentes nicht alle Fragen bezüglich der Entstehung und des Verstehens des christlichen Dogmas löst. Denn die Einsichten der Form- und Überlieferungsgeschichte warfen einen neuen Graben auf zwischen christologischem Dogma, das sein Entstehen dem griechischen Geiste verdankt, und dem Evangelium, das der jüdischen Geisteswelt verhaftet ist. Eine Verwendung des Evangeliums als Grundlage eines theologischen Systems, etwa im Sinne Schleiermachers, Biedermanns und auch Ritschls, wurde nun als höchst fragwürdig erachtet. Einmal ist das Neue Testament doch nur unter großen Einschränkungen als historische Quelle zu betrachten, sodann ist die Geschichtlichkeit aller – auch der religiösen und theologischen – Aussagen in Anschlag zu bringen. Und so kann Buri sagen: »Bei aller Erforschung des Jesus des Neuen Testamentes und des Christus des Dogmas ist man dem Wesen des neutestamentlichen Kerygmas nicht näher gekommen, sondern hat es in einen Faktor der allgemeinen Geistes- und Religionsgeschichte aufgelöst – das aber will es, seinem geschichtswissenschaftlich erkennbaren Wesen nach gerade nicht sein«[124].

---

122 Vgl. dazu ›Die erkenntnis-theoretische Grundlage‹ (§§ 9–66), die er an den Anfang der zweiten Auflage seiner »Christlichen Dogmatik«, 1884, gesetzt hat, und seine frühe Kampfschrift: »Die freie Theologie oder Philosophie und Christentum im Streit und Frieden«, 1844.
123 Typisch dafür ist besonders Wilhelm Herrmann mit seiner Unterscheidung zwischen dem historischen Jesus und dem ›inneren Leben Jesu‹ (Ges. Aufsätze hrsg. v. F. W. Schmidt, 1923) in seiner Auseinandersetzung mit Martin Kähler (1835–1912) und dessen Unterscheidung zwischen dem ›sogenannte[n] historische[n] Jesus‹ und dem ›geschichtliche[n] biblische[n] Christus‹ (1892).
124 Buri, Fritz: Dogmatik als Selbstverständnis des christlichen Glaubens. Band 2, S. 128.

2. Buris Stellung

In dieser zerstrittenen Lage der Theologie ringt Buri um eine Antwort. Die Lehre über die Gottheit und Menschheit Christi ist der Nerv der Christologie. Sie wurde immer wieder zur Gretchenfrage hüben und drüben erhoben. Wo ein Teil dieser Lehre, sei es um der Menschheit, sei es um der Gottheit Christi willen, verdünnt wurde, blieben die Reaktionen darauf nicht aus. Auch Buri weiß natürlich, daß es hier um das Herzstück der Theologie geht. Zugleich weiß er aber auch um die Ausweglosigkeit, in die dieses sowohl durch eine ›verobjektivierte‹ Gottheit als auch durch eine ›verobjektivierte‹ Menschheit geraten war, und reagiert darauf auf seine Weise. Er greift das Anliegen dieses Dogmas auf, um seine Wahrheit in der Theologie wieder zum Leuchten zu bringen. In diesem Anliegen steht er Karl Barth vielleicht näher, als es zunächst scheinen könnte. Die Lösung sucht er aber nicht in einer Art Repristinationstheologie, sondern in einem konsequenten Durchdenken des existenziellen Ansatzes. Gerade dieser Wahrheit zuliebe scheute Buri die Auseinandersetzung nie[125]. Er mag vielleicht manchmal als zu angriffig erscheinen oder als zu liberal im Umgang mit ›heiligen Dingen‹. Gerade in Sachen Christologie geht es ihm jedoch weder um ein Niederreißen, noch um ein Kleinmachen des Glaubens vergangener Jahrhunderte, sondern um das, was den gläubigen Theologen treibt: Christus zu kennen.

Im obigen Abschnitt sahen wir, daß die Theologie um die Mitte des vorigen Jahrhunderts der Gott- und Menschheit Christi – die spekulativ-liberale Theologie wegen einem letztlich nicht überwundenen Rationalismus, die Ritschlianer wegen ihrer einseitigen Anthropologie – keinen angemessenen Ausdruck zu geben vermochte. Buri sagte diesen Einseitigkeiten den Kampf an, und zwar auf dem Hintergrund seines existenziellen Theologisierens. Er sieht die Gottheit Christi in Verbindung mit der Transzendenzbezogenheit des Glaubens[126] und die Menschheit Christi in Verbindung mit der Geschichtlichkeit des Menschen[127].

a. Gottheit Christi und Transzendenzbezogenheit des Glaubens[128]

Der besondere Transzendenzbezug des christlichen Glaubens drückt sich in der neutestamentlichen Verkündigung der Menschwerdung Gottes in Jesus Christus aus. Denn wer sich als eine durch Christus neu gewordene Kreatur begreift, für den ist Gott in Christus in einer ganz besonderen Weise offenbar und wirksam. Das Neue Testament gibt dieser besonderen Offenbarkeit und Wirksamkeit Gottes dadurch Ausdruck, daß es Jesus von Nazareth mit messianischen Würdetiteln umgibt. Die spätere Zeit hat durch das Dogma der Zweinaturenlehre diesen Transzendenzbezug

---

125 Buri hat die theologischen Auseinandersetzungen überhaupt nie gescheut, im Gegenteil. Nach ihm ist eine Gemeinde, in der keine Auseinandersetzung stattfindet, tot. (Buri in einem Gespräch nach der Predigt, die er im Basler Münster am 9. Mai 1976 hielt.)
126 Vgl. oben, S. 22–24.
127 Vgl. oben, S. 25.
128 Siehe Buri, Fritz: Dogmatik als Selbstverständnis des christlichen Glaubens. Band 2, S. 130–132.

auf neue Weise dargestellt. Sofern die Paradoxie des ›Zugleich Gott-und-Mensch-seins‹ durchgehalten wird, kann die Zweinaturenlehre, immer nach Buri, eine legitime Aussage des Selbstverständnisses des christlichen Glaubens darstellen. Wie die Dogmenentwicklung aber gezeigt hat, kann die Theologie Verschiebungen, Einseitigkeiten und Nicht-Durchhalten-der-Paradoxie nur schwer vermeiden. Im Laufe der Zeit ging jedenfalls das Grundanliegen des Dogmas, nämlich immer wieder zu zeigen, daß sich Gott durch seine Offenbarung in Jesus Christus als auf das Personsein des Menschen bezogen erweist, allzu oft verloren.

Und doch hält sich etwas Gemeinsames durch. Alle Spekulationen über dieses Dogma sind letztlich ein Ausdruck dafür, daß sich gläubige Menschen immer wieder vom Gotte Jesu Christi angesprochen fühlen. Sie erleben eine personale Bezogenheit auf Transzendenz, die ihnen im verkündeten Christus entgegentritt. Zugleich offenbart sich ihnen Transzendenz als Person. Das heißt: wie sie sich im Glauben als Person erfahren, so auch die Transzendenz. Wenn es überhaupt irgend eine Umschreibung der Transzendenz gibt, dann müssen ihre Elemente dem personalen Bereich entnommen sein[129].

Das ist nach Buri die Lehre vom Gottmenschen. Sie ist »nicht ein Beweis natürlicher oder übernatürlicher Art für eine vom Selbstverständnis unabhängige Objektivität, sondern Ausdruck der Transzendenzbezogenheit personalen menschlichen Daseins, das durch das Sichverstehen im Blick auf jene Botschaft sich verwirklicht. Selbstverständnis in bezug auf das christliche Kerygma ereignet sich jenseits des Gegensatzes zwischen der Objektivität des Dogmas und der Subjektivität des Bewußtseins«[130].

b. Menschheit Christi und Geschichtlichkeit[131]

Sich durch Christus auf Transzendenz bezogen zu wissen, beinhaltet aber immer auch eine geschichtliche und damit objektive Dimension. Der Transzendenzbezug christlichen Glaubens ereignet sich immer im Zusammenhang mit der biblischen Geschichte. Die alttestamentlichen Menschen erlebten sich als zu einem Volk gehörig, dessen Herr Jahwe ist, die neutestamentlichen erfuhren Gott sogar in Fleisch und Blut, mitten unter ihnen. Sie alle fühlten sich in diesen Erfahrungen in ihrem innersten Menschsein getroffen und verändert. Hic et nunc, das heißt geschichtlich, waren sie betroffen von der Anwesenheit Gottes und erlebten, hic et nunc, also geschichtlich, ihre Bezogenheit auf Transzendenz durch objektive Fakten hindurch. Durch den sichtbaren Jesus von Nazareth zeigte sich ihnen Transzendenz, und erfuhren sie sich als gläubig. Es liegt auf der Hand, daß sie, um dieser Erfahrung Ausdruck zu geben, sich an das Sagbare, das ist in irgendeiner Weise ›Objektive‹, hielten. Aber sie wollten dem neuen Selbstverständnis Ausdruck geben, das sich hic et nunc ereignete, und das aufgebrochen wurde auf Transzendenz hin. Dies ist der unaufgebbare Kern des Dogmas von der Menschwerdung Gottes. Es gibt von existenziellen Erfahrungen

---

129 Vgl. Buri, Fritz: Dogmatik als Selbstverständnis des christlichen Glaubens. Band 2, bes. S. 128–130.
130 Buri, Fritz: ebd., S. 132.
131 Siehe Buri, Fritz: ebd., S. 132–134.

Kunde, die eine Bezogenheit auf Transzendenz (Gottheit Christi) im konkreten Hic et nunc (Menschheit Christi) umfaßten.

Die christologischen Dogmen sind also aus einer ganzheitlichen Situation heraus erwachsen. Dazu gehört gewiß auch, daß etwas ›objektiv‹ von diesen Erlebnissen gesagt wurde. Der ›Sitz im Leben‹ dieser Aussagen ist aber existenzielle Subjektivität. Ob das Gesagte ›richtig‹ war und ist, ist, wie jede Richtigkeit, auf dem zeitgenössischen Hintergrund zu prüfen, ob sie ›wahr‹ waren und sind, das kann allein existenzieller Glaube erfahren[132].

Freilich sind dogmatische Formulierungen mit einer Gefahr verbunden. Wenn existenzielles Betroffensein seine Unmittelbarkeit verliert, bleiben zwar die objektiven Aussagen zurück. Aber sie sind nun nur noch abstrakte Größen, werden historisch, verlieren ihren Sinn, wenn sie nicht mehr existenzielles Betroffensein auszulösen vermögen, bzw. dies – eventuell ob einseitiger philosophischer Auffassungen – nicht mehr für zentral erachtet wird. Diese Gefahr ist, gerade wegen der Zweideutigkeit des Redens, zu allen Zeiten gegeben. Die Geschichte hat viele Beispiele dafür, daß einerseits die Gottheit zu einseitig herausgestellt wurde, oder aber, daß die totale Vermenschlichung Gottes die innere Wahrheit dieses Dogmas auflöste. Wie Letzteres auch zum Teil in der Theologie des Neuprotestantismus geschehen ist, wurde oben gezeigt. Buri nimmt in dieser Situation seine Funktion als Theologe wahr, die immer auch das ›Prophetische‹ einschließt. Buri wird nicht müde, darauf hinzuweisen, daß der christliche Glaube sowohl aufgelöst wird, wenn er mit seinen objektiven Aussagen gleichgesetzt wird, als auch wenn er in einem bloßen Transzendenzbezug aufgeht.

c. Das Reden über den Gott-Menschen[133]

Die Reflexion über das Eigentliche des Glaubensvollzuges führt Buri zu seinem neuen positiven Weg. Wenn von einem Weg die Rede ist, sind wir natürlich sofort auch auf Begrifflichkeit und Theorie angewiesen. Die Frage ist nur die, ob sich die Theorie als legitim ausweisen kann. Dies ist nach Buri dann der Fall, wenn die Theorie auf das in der Verkündigung zum Ausdruck kommende Selbstverständnis des Glaubens bezogen ist. In diesem Sinne ist die Lehre von der Menschwerdung Gottes in Christus zu bedenken und neu zu verstehen.

Existenzielles Theologisieren zeitigt hier seine Konsequenzen. Über die Gottheit und Menschheit Christi können wir nicht anders reden als im Zusammenhang mit unserem Personsein. »Dann wissen wir, daß wir unseres Personseins erst im Bezogensein auf einen persönlichen Gott innewerden, und damit zugleich, daß dieser persönliche Gott für uns Wirklichkeit ist, indem wir uns als Person vor ihm verantwortlich wissen. Der Menschwerdung Gottes in Christus, wie sie das Dogma formuliert, entspricht die Menschwerdung des Menschen als Innewerden persönlichen Verantwortlichseins vor dem persönlichen Gott. Die im Dogma bezeugte Menschwerdung

---

132 Zum Unterschied von ›richtig‹ und ›wahr‹ vgl. oben, S. 19. Die traditionellen Aussagen über Jesus sind dann richtig, wenn sie der jüdisch-griechischen Kultur entsprechen.

133 Siehe Buri, Fritz: Dogmatik als Selbstverständnis des christlichen Glaubens. Band 2, S. 135–142.

Gottes wird für uns zum Anlaß, uns als Person zu verstehen, weil sie Ausdruck der in der Geschichte Wirklichkeit werdenden Transzendenzbezogenheit personalen Seins ist.«[134].

Personwerden ist niemals ein wissenschaftlich erklärbares Geschehen, geht es im Personwerden doch um den Vollzug gläubigen Selbstverständnisses. Deshalb ist das angemessene Reden darüber ›mythologisch‹ oder ›spekulativ‹[135]. Das wirkt sich natürlich auch auf ein christlich-personales Selbstverständnis aus. Was wir über Gott in Jesus Christus sagen können, nimmt notwendig mythische bzw. spekulative Züge an. Das Entscheidende ist aber nicht das Objektivierbare an ihnen, sondern das in diesem der Person (Existenz) sich kundtuende Wirkliche. Auch beim Mythos der Menschwerdung Gottes ist der Akzent nicht auf den ›objektiven‹ Charakter zu setzen. Mit dem Zentrum der Christologie, der Menschwerdung Gottes und der Gottheit des Menschen Jesus Christus, ist eine Wirklichkeit bezeichnet, die sich nur dem Glaubenden auftut. Diese Wirklichkeit offenbart in eins die Fülle und Dimensionen menschlicher Wirklichkeit: in bestimmter geschichtlicher Situation sich auf Transzendenz bezogen wissen und in unbedingter Verantwortung als Mensch leben. Mit anderen Worten: weil Gott Mensch geworden ist, schließt christlicher Glaube den Auftrag ein, Mensch zu werden und zwar unverkürzt, d.i. geschichtlich, verantwortlich, religiös.

d. Christus-Dogma und christliche Anthropologie[136]

Buri hebt hervor, daß diese Menschwerdung des Menschen nicht etwa so verstanden werden darf, als ereignete sich die Menschwerdung Gottes in der Menschwerdung des Menschen, oder als würde der Mensch über die Menschwerdung zum Gottmenschen. Aber die Menschwerdung Gottes in Christus und die Menschwerdung des Menschen stehen in unaufgebbarer Korrespondenz. Denn die Christologie als ›personale Wahrheit‹ ist nur in und aus der Verwirklichung menschlichen Personseins zu verstehen.

Der Auftrag, den die Menschwerdung Gottes und deren Verkündigung beinhaltet, beginnt im Menschen erst im gläubigen Vollzug Gestalt anzunehmen. Von daher gesehen ist die Botschaft von der Menschwerdung nicht ›bloße‹ Mythologie oder Spekulation. Wohl ist sie sprachlich nicht anders ausdrückbar, aber es geht doch um mehr, nämlich um wirkliches, d.h. gelebtes christliches Selbstverständnis. Das Personwerden des Menschen, das sich in diesem Verstehen vollzieht, ist ›historisch‹ oder ›psychologisch‹ oder sonstwie nicht voll faßbar. Es geht um wahres, existenzielles Menschsein, und das ist nicht bloße Selbstverwirklichung. Die Bibel spricht von einem neuen Sein in Christus und bringt damit das Personwerden des Menschen mit der Menschwerdung Gottes in Zusammenhang.

134 Buri, Fritz: Dogmatik als Selbstverständnis des christlichen Glaubens. Band 2, S. 138.
135 Vgl. Buri, Fritz: ebd., S. 139.
136 Siehe Buri, Fritz: ebd., S. 140–142.

Somit hat sich Buri von einer bloßen Restauration der Orthodoxie abgesetzt, aber auch von einer ›bloßen‹ Bewußtseinstheologie[137]. Er will die Lehre von der Menschwerdung Gottes, wie sie in den Dogmen von Nizäa und Chalzedon proklamiert wurde, in ihrem Wesentlichen unverkürzt verstehen. Deren Entstehung muß einerseits vom Hintergrund existenziellen Personseins her gesehen werden, andererseits ist diese Existenzialität im Bereich des Neuen Testamentes und der jungen Kirche durch das Christusereignis hervorgerufen und erst so ein volles Menschenverständnis ermöglicht worden. Mit dem christlichen Personsein ist somit nicht eine allgemeine Anthropologie gemeint. Denn die einzige Voraussetzung christlichen Redens vom Menschen ist die »durch die Christusbotschaft bestimmte geschichtliche Situation«[138]. Dank Geschichtlichkeit, Transzendenzbezogenheit und Verantwortung bekommt die Lehre von der Person Christi für die Anthropologie allerdings auch eine prinzipielle Bedeutung.

III. Christus im dogmatischen System

Buris ›eschatologischer Christus‹ und ›nizänisch-chalzedonensischer Christus‹ sind Beispiele seines Theologisierens. Diesem liegt, neben einem reflektierten Wissenschaftsbegriff, ein bestimmtes Verständnis des christlich gläubigen Menschen zugrunde. Diese Grundlagen gelten auch für ›Christus im dogmatischen System‹. Das Subjekt eines christlichen Selbstverständnisses ist der Ausgangspunkt seiner Überlegungen. Dieses weiß sich bestimmt durch die Heilstat Gottes in Jesus Christus. Von diesem christlichen Selbstverständnis her ist das Christusgeheimnis zu verstehen. Buri beginnt denn auch seine Dogmatik nicht nach traditioneller Art, nämlich mit der Lehre von Gott, von der Schöpfung, von der Erlösung, woran sich dann als vierter Teil die Lehre von der Kirche und den Letzten Dingen anschließt, sondern mit dem Menschen, mit seinem Selbstverständnis als Geschöpf, mit seiner Gottebenbildlichkeit, die allerdings in Sünde verkehrt ist und versöhnt werden will[139]
Für Buri ist es selbstverständlich, daß von Gott nicht geredet werden kann, ohne zugleich vom Menschen zu reden, denn, immer ist es der Mensch, der von Gott redet. Der von Gott redende Mensch weiß sich auf Erlösung angewiesen. So weitet sich die Lehre des Menschen notwendig aus zur Lehre von der Erlösung des Menschen (Soteriologie). Der erlösungsbedürftige Mensch ist damit der Ausgangspunkt für eine existenzielle Dogmatik. Das Spezifische derselben besteht darin, daß eine christliche Anthropologie, die zugleich eine anthropologische Soteriologie ist, den Ton angibt[140].

---

137 Von einer Bewußtseinstheologie sprach man im Gefolge Schleiermachers. Vgl. Buri, Fritz: Dogmatik als Selbstverständnis des christlichen Glaubens. Band 2, S. 121–125.
138 Buri, Fritz: ebd., S. 142. Vgl. auch oben, S. 25.
139 Vgl. Buri, Fritz: ebd. bes. S. 19–38.
140 Vgl. Buri, Fritz: ebd., alle Kapitel, bes. S. 303–514. Vgl. auch Buri, Fritz: Dogmatik als Selbstverständnis des christlichen Glaubens. Band 3 (unveröffentlicht), bes. S. 9–15.

1. Christus und die Schöpfung

Wenn eine christliche Anthropologie nach ihrem Wesen fragt, bekommt sie schon auf den ersten Seiten der Bibel eine Antwort: ›Lasset uns Menschen machen nach unserm Bilde, uns ähnlich‹[141]. Gemachtsein bedeutet einen Anfang und ein Ende haben. Diesen Rahmen läßt ein Mensch nie hinter sich. Auch wenn der Dogmatiker als Mensch unter anderen Menschen seine Lehre über Gott im dogmatischen System darstellt, bewegt er sich in diesem Spannungsfeld der Frage nach dem Anfang und nach dem Ende. So steht auf der einen Seite die Schöpfungslehre, auf der anderen Seite die Lehre von den ›Letzten Dingen‹. Die Geschichte lehrt wie sehr diese Spannung immer wieder Probleme und auch Einseitigkeiten zeitigte. Ideen etwa, daß die Welt ewig sei, daß sie determiniert oder pantheistisch zu verstehen sei usw., mußten von der Theologie abgewiesen werden. Diesen Verabsolutierungen der Welt mußte der christliche Glaube aus seinem Geschichtsverständnis heraus eine Lehre von einem Anfang, den Gott bewirkte, und einem von ihm bestimmten Ende gegenüberstellen. Die Lehre, daß Gott Anfang und Ende bewirkt, führte zudem zur Erkenntnis, daß die Schöpfung, gerade wegen ihrer Endlichkeit, auf die Fortsetzung des Schöpfungswirkens angewiesen ist. Auch die Zeitspanne zwischen Anfang und Ende steht somit im Wirkungskreis des Schöpfers. Die Zwischenzeit ist auch die Zeit des Heiles.

a. Die Entstehung des ontologisch-metaphysischen Verständnisses[142]

Das Urchristentum war – wie oben gesagt[143] – auf das Ende eingestellt. Nachdem die urchristliche Überlieferung durch das Ausbleiben der Parusie umgedeutet werden mußte, kam, an die Stelle des Endes, das Interesse am Bestand und Ausbau des Jetzigen, das heißt, der Kirche und der »Einrichtung und Ordnung des Lebens der Gläubigen in dieser Welt«[144]. Die Welt wurde anders gewertet. Diese neue Wertung mußte eine Rechtfertigung und einen neuen, zeitgemäßen Ausdruck finden. Die junge Christengemeinde fand sie im Schöpfungsglauben des Alten und Neuen Testamentes.

Die Lösung bestand darin, den christlichen Schöpfungsglauben mit einer metaphysisch verstandenen Seinslehre zu verbinden. Damit konnte in der Welt von damals die frohe Botschaft von der Erlösung wieder verkündet werden. Zugleich wurde die Existenz der Kirche neu begründet. Ihre Stellung, nach dem Ausbleiben der Parusie geschwächt, bekam eine metaphysische Verankerung. Dazu aber war es notwendig, die Lehre von der Person und dem Werke Christi aus der Vorstellungswelt der urchristlichen Eschatologie herauszulösen und in zeitgemäße Vorstellungen zu kleiden. Es begann der eigentliche Säkularisierungsprozeß des Christentums[145]. Eine

141 1. Mose 1,26.
142 Siehe Buri, Fritz: Der Pantokrator, S. 20–22.
143 Vgl. oben, S. 41.
144 Buri, Fritz: Der Pantokrator, S. 20.
145 Der Säkularisierungsprozeß geht nach Buri immer weiter. Vgl. dazu Buri, Fritz: Heil in permanenter Säkularisierung, in: Theologische Forschung 60. Kerygma und Mythos VI–IX: Zum Problem der Säkularisierung. Hamburg, 1976/77.

Frucht davon war, daß die Botschaft von Christus in eine metaphysische Zwei-Naturen-Lehre, und sein Werk in ein sakramentales Heilsgeschehen umgedeutet wurden. An die Stelle der Eschatologie trat nun die Ontologie. Christologie und Soteriologie, wie übrigens auch die Eschatologie, wurden dieser untergeordnet.

b. Schwierigkeiten[146]

Buri sieht im Ausbau der Schöpfungslehre, gegenüber dem eschatologischen Denken im Neuen Testament, die positive Seite des Enteschatologisierungsprozesses. Die metaphysisch verstandene Schöpfungslehre erlaubte die Bewältigung der Probleme, die durch das Ausbleiben der Parusie entstanden waren. Heute ist etwas ähnliches von uns gefordert, wenn das Christentum seine Ausstrahlung nicht verlieren will. Die metaphysische Schöpfungslehre nun will Buri durch eine christologische ersetzt sehen. Was heißt das?

Die überlieferte ›metaphysische‹ Schöpfungslehre unterscheidet in der Welterschaffung drei Dinge: 1. die Erschaffung des Weltstoffes aus dem Nichts (creatio e nihilo sui et subjecti), 2. die Bildung der einzelnen Teile der heute bestehenden Schöpfung und 3. die weiterdauernde Schöpfertätigkeit Gottes.

Jeder dieser drei Punkte gab der Theologie nicht nur erkenntnismäßige Probleme auf, sondern auch exegetischer Art. Die Erklärung, daß die Schöpfungsgeschichte durch einen besonderen Schöpfungsakt – die creatio e nihilo – geschah, half in vielen Fragen weiter. Jedoch ließ im Laufe der Geschichte die Erkenntnis der eschatologischen Bestimmtheit des Neuen Testamentes[147] den Gegensatz zwischen Altem und Neuem Testament auseinanderklaffen. Das Alte Testament war an der Schöpfung, das Neue Testament hingegen mehr an der Neuschöpfung orientiert. Das alttestamentliche Gottesvolk sah die Welt unter der Regierung Gottes stehen, die christliche Urgemeinde hingegen unter der Herrschaft der gottwidrigen Dämonen des alten Äons[148].

Diese Auffassungen wurden durch die moderne alttestamentliche Forschung noch komplizierter, die herausstellte, daß die Schöpfungsgeschichte kultisch, bzw. heilsgeschichtlich verstanden werden muß. Der Schöpfungsbericht ist jetzt in diesem Rahmen zu sehen. Die biblischen Texte sind nicht mehr Spekulationen über das Sein oder Nicht-Sein, sondern Glaubenszeugnisse des Volkes Israel[149].

Das kultisch-heilsgeschichtliche Verständnis der Schöpfungsgeschichte gab auch den wenigen neutestamentlichen Texten, die von einer Schöpfung durch Christus sprachen, neue Leuchtkraft. Neben der Infragestellung der ›klassischen‹ Schöpfungslehre durch die biblischen Schriften selbst, wären noch andere Momente – wie philosophische und naturwissenschaftliche Erkenntnisse – zu nennen, die ein Umdenken erfordern. Buri freilich sah sich vor allem durch die Erkenntnisse der alttestamentlichen Forschung zu einer Neuorientierung inspiriert[150].

146 Vgl. Buri, Fritz: Der Pantokrator, S. 37–39.
147 Vgl. vor allem die radikale Form Albert Schweitzers. Siehe oben, S. 12–14.
148 Siehe Buri, Fritz: Der Pantokrator, S. 37.
149 Vgl. Buri, Fritz: ebd., bes. S. 39–42.
150 Siehe Buri, Fritz: ebd., S. 35.

c. Das Drachenkampfmotiv[151]

Israel gab durch die ›Mythologie‹ von der Erschaffung der Welt seinem Glauben, daß die Geschichte Tat Gottes ist, einen prägnanten Ausdruck. Heilsgeschichtlich betrachtet geht es Israel um den Lobpreis der erfahrenen Hilfe Gottes. Kultgeschichtlich gesehen preist Israel im Kult die Schöpfung. Dem Geschichtsverständnis wie dem Kultverständnis Israels liegt »die in der vorderasiatischen, speziell babylonisch-kananäischen Mythologie beheimatete Vorstellung des Drachenkampfes zugrunde«[152]. Schöpfung bedeutet Überwindung des Urweltdrachen. Diese Gottestat wird besungen und im Kult dargestellt. Aus einer Mythologie aber, die Ausdruck eines kultisch bestimmten Geschichtsverständnisses ist, läßt sich keine wissenschaftlich haltbare Erkenntnis vom Ursprung der Welt beweisen und ableiten. Nicht auf der Herkunft des Drachen liegt das Interesse, sondern auf dessen Überwindung als heilsgeschichtlicher Tat.

d. Das christologische Schöpfungsverständnis[153]

Die Lehre des Neuen Testamentes von der Schöpfung in Christus steht »keineswegs in Spannung zu der sonstigen biblischen Auffassung von der Welterschaffung, wie sie unter der Form des Drachenkampfes im Alten Testament vorliegt und tatsächlich auch im Neuen Testament vorausgesetzt wird«[154]. Sie stellt nach Buri auch keinen Abfall dar, im Gegenteil. Diese christologische Auffassung der Schöpfung – und ihre Zusammenschau mit der zweiten Schöpfung – entspricht der ursprünglichen Bedeutung und dem ursprünglichen Sinn der alttestamentlichen Schöpfungslehre. »Die neutestamentliche Enderwartung ist im Grunde nichts anderes als die Schöpfungsgeschichte des Alten Testaments – nur mit dem Unterschied, daß in der letzteren der Blick in die Vergangenheit zurück an den Anfang geht, während er in der Eschatologie nach der Erfüllung des Geschichtsziels in der Zukunft Ausschau hält«[155]. So kommt in beiden Sichtweisen ein zwar variiertes, aber im Grunde einheitliches Geschichtsverständnis zum Ausdruck.

Die Geschichte ist die eine Geschichte Gottes mit den Menschen. Diese Geschichte bewältigt die Gegenwartserfahrung mit Hilfe des Bildes vom Kampf mit dem Bösen. Christus wirkt vom Anfang bis ans Ende. So sind nicht mehr die Fragen nach dem Anfang der Schöpfung der Welt, nach der Formung im Sechstagewerk, nach dem Verhältnis zwischen Schöpfung und Vorsehung usw. wichtig. Es ist Christus – der Allherrscher, der Pantokrator – der das A und das O ist. Er beginnt sein Heilswerk mit der Schöpfung, setzt es in der Vorsehung fort und beendet es in der Eschatologie[156].

---

151 Siehe Buri, Fritz: Der Pantokrator, S. 56–58. Vgl. auch Buri, Fritz: Dogmatik als Selbstverständnis des christlichen Glaubens. Band 3 (unveröffentlicht), S. 39–62.
152 Buri, Fritz: Der Pantokrator, S. 40.
153 Siehe Buri, Fritz: ebd., S. 43–47. Vgl. auch Buri, Fritz: Dogmatik als Selbstverständnis des christlichen Glaubens. Band 3 (unveröffentlicht), S. 66–90.
154 Buri, Fritz: Der Pantokrator, S. 44.
155 Buri, Fritz: ebd., S. 45.
156 Siehe Buri, Fritz: ebd., S. 49.

e. Schöpfung und Existenz[157]

Für die biblischen Schriften ist somit die Frage nach dem anfänglichen Sein oder Nichtsein der Welt im philosophischen Sinne müßig, ja gar nicht präsent. Das verbietet aber dem Menschen nicht, die Frage nach dem Sein und dem Nichtsein bzw. dem Nichts, durch alle Generationen hindurch, immer wieder neu zu stellen. Warum ist etwas und nicht nichts? ist eine uralte Frage. Warum ist überhaupt Schöpfung? Warum und nochmals warum? Dieses Warum ist unbeantwortbar. Gerade die Unmöglichkeit einer Antwort auf dieses Warum drückt das Geheimnis des Seins aus. Wenn das Sein, und das – wenigstens für Menschen – mit ihm gegebene Nichtsein, verstanden werden sollen, stoßen wir an die Grenze unseres Denkens. Sein und Nichts sind für uns, so lehrte es Jaspers, Grenzbegriffe. Diese weisen auf etwas hin, das unser Begreifen übersteigt und offenbaren unserem Denken eine Offenheit für eine nicht mehr ›gegenständliche‹ Wirklichkeit[158].

Der Akt der Schöpfung (Sein) und der Nicht-Schöpfung (Nichts), ist für Begriffe so unfaßbar wie der Akt unseres Selbstverständnisses als verantwortliches Personsein. Letzteres ist sogar der anthropologische Ausgangspunkt für eine ›ontologische‹[159] Schöpfungslehre. Im Vollzug unseres selbst zu verantwortenden Selbstverständnisses ereignet sich im wahrsten Sinne des Wortes Schöpfung, und zwar Schöpfung aus dem Nichts. In diesem Akt realisiert sich freilich ein Seiendes, das sich zwar als bedingt, zugleich aber auf Unbedingtes bezogen, und sich deshalb auch unbedingt verantwortlich weiß. Dieser Akt des Personwerdens ereignet sich immer in Welt, das heißt bedingt, ist aber ebenso auch unbedingt, nämlich in seinem Vollzug aus nichts anderem ableitbar. Mit dieser Unableitbarkeit (Gnade) ist das gemeint, was mit dem traditionellen Ausdruck der creatio e nihilo, oder mit dem biblischen Bild des Kampfes mit dem Urweltdrachen ausgesagt ist. Der Mensch tritt dem Chaos, das im mythologischen Bild überwunden wird, entgegen. Die ›Menschwerdung‹ ereignet sich, indem der Mensch das Chaotische, das Zweideutige, besiegt. Der Akt des Vollzuges des Personwerdens ist auf Ordnung, auf Eindeutigkeit, gerichtet. So ereignet sich die Selbstverwirklichung des Menschen in dem Maße, in dem er sich im Kampf mit dem Chaos behauptet.

f. Die fortgesetzte Schöpfung[160]

Diese Selbstverwirklichung ist aber nicht eine Tat, die der Mensch ein für alle Mal erledigen kann. Der Kampf dauert fort bis zum Tode. Das Alte Testament drückt das im Bild des Sechstagewerkes aus. Nach diesem wird die Schöpfung nicht an einem Tag vollendet. Es gibt bestimmte Abschnitte und einen ›Ruhetag‹, der einen Rück-

---

157 Siehe Buri, Fritz: Der Pantokrator, S. 51–53. Vgl. auch Buri, Fritz: Dogmatik als Selbstverständnis des christlichen Glaubens. Band 3 (unveröffentlicht), bes. S. 27–34.
158 Siehe oben, S. 15/16.
159 ›Ontologisch‹ bedeutet für Buri nicht ›metaphysisch‹ sondern ›christologisch‹.
160 Siehe Buri, Fritz: Der Pantokrator, S. 53–56. Vgl. auch Buri, Fritz: Dogmatik als Selbstverständnis des christlichen Glaubens. Band 3 (unveröffentlicht), S. 95–126.

blick und ein Urteil – daß ›alles gut sei‹ – erlaubt. Dieser Ruhetag ist allerdings nicht die ›ewige Ruhe‹. Auf diese erste ›Schöpfungswoche‹ folgen andere und andere, der ersten ähnliche. Die ›creatio in Christo‹ mußte somit – logischerweise – durch die ›creatio continua‹ ergänzt werden, die das Schöpfungswerk, das ist der Kampf mit dem immer wieder einbrechenden Chaos, fortsetzt. Die in Christus fortgesetzte Schöpfung wird nun als conservatio erfahren. Conservatio meint die Gnade, daß wir unser Personsein mitten im unfaßbaren Sein zu verwirklichen vermögen[161]. Aufgrund der conservatio ist uns die Gnade unseres Personseins gegeben, was freilich Selbstverwirklichung in Verantwortung nicht ausschließt.

Für objektives Denken ist das, wie alles Existenzielle, etwas Paradoxes. Wir sind selbst verantwortlich und doch total auf Gnade angewiesen. Von diesem Paradoxon zeugt das Bild des Bundes, dem wir in den biblischen Schriften immer wieder begegnen. Wenn Gott dem Menschen einen Bund anbietet, erfährt dieser eine gnadenhaft gegebene Möglichkeit, Dasein zu verwirklichen, und ist im gleichen Moment doch ganz frei, sich darauf einzulassen oder nicht. Das Bundesangebot bedeutet Gnade und zugleich Freiheit.

Buris christologische Anthropologie ist immer in dieser Spannung von Gnade und Freiheit zu sehen. Für Buri ist der Mensch zum Sein in Christus bestimmt[162]. Der so verstandene Mensch steht im Zentrum des dogmatischen Systems. Für ihn ist die Schöpfung Symbol für verantwortliches Personsein. Im Symbol west das Schöpfungsgeheimnis in Christus als Gnade und Verantwortung selber an[163]. Wissende Objektivität gibt es da nicht, wohl aber ein Innewerden durch Glaubenssymbole hindurch.

Die Schöpfung in Christus wird – wie oben gesagt – in der creatio continua, die zugleich conservatio ist, fortgesetzt. In diesem Zusammenhang spricht Buri auch über den concursus divinus, das begleitende Handeln Gottes. Davon wird im folgenden Abschnitt über Christus und die Trinität noch kurz die Rede sein.

2. *Christus und die Trinität*[164]

Das Innewerden von Verantwortung ist für Buris Theologisieren unbedingter Anfang mitten in aller Bedingtheit. Verantwortetes Handeln verwirklicht sich in Raum und Zeit und ist Schöpfung im eigentlichen Sinne (creatio continua). Wenn solche fortwährende Schöpfung gelingt, bedeutet das Erfüllung des Lebens und auch der Geschichte. In diesem Horizont muß auch Buris Christus-Verständnis gesehen werden.

161 Siehe Buri, Fritz: Der Pantokrator, S. 53. Siehe auch Buri, Fritz: Dogmatik als Selbstverständnis des christlichen Glaubens. Band 3 (unveröffentlicht), S. 95–120.
162 Vgl. Buri, Fritz: Dogmatik als Selbstverständnis des christlichen Glaubens. Band 2, bes. S. 222–227. Vgl. auch Buri, Fritz: Dogmatik als Selbstverständnis des christlichen Glaubens. Band 3 (unveröffentlicht), bes. S. 111–125.
163 Vgl. Buri, Fritz: Der Pantokrator, S. 51.
164 Die folgenden Ausführungen stützen sich vor allem auf Buris ›Pantokrator‹. Es wurden aber auch die Vorlesungen, die Buri im Wintersemester 1975/1976 an der Universität Basel über die Gotteslehre hielt, miteinbezogen.

Page 61 running header

a. Probleme[165]

Ist für Buri mit dem bisherigen Christus-Verständnis, deren Zentrum die (christologische!) Schöpfungslehre ist, das Entscheidende gesagt? Sind denn nicht in der Schrift und in der Lehre der Kirche die Aussagen über Schöpfung primär auf Gott, und zwar auf Gott den Vater, bezogen? Und nimmt nicht auch von diesem Vater Jesus, der Christus, als Sohn, seinen Ausgang? Wie muß von einem anthropologischen Ansatz (Buri) aus Christus als Sohn Gottes, das ist als zweite Person der göttlichen Trinität verstanden werden? Buri sucht auch hier, in Auseinandersetzung mit der kirchlichen Tradition, nach einem existenziellen Verständnis.

Die klassische Trinitätslehre ist bekanntermaßen im ›Nicaeno-Constantinopolitanum‹[166] und im ›Symbolum Quicumque‹[167] definiert: una divina essentia in tribus personis, drei Personen in einem göttlichen Wesen[168]. Der menschlichen Vernunft erscheint diese Aussage als Mysterium. Dennoch reflektiert der Theologe seit jeher mit Mitteln der Vernunft über das Dogma, um es vor Mißverständnissen zu schützen oder auch gegen Angriffe zu verteidigen. Dabei werden zum Teil Begriffe verwendet, die so nicht in der Heiligen Schrift vorkommen (z. B. vestigia trinitatis, homoousion[169] usw.).

Zum einen hat dies immer wieder Probleme aufgeworfen, zum anderen scheitert vernünftiges Denken dogmaimmanent und zwar notwendig. Denn so wie die göttlichen Personen verstanden werden, läßt sich ihre Dreiheit und Einheit nicht zugleich denken. Man kann sich damit begnügen, die klassische Trinitätslehre, auch wenn man um ihre immanenten Widersprüche weiß, so gut es geht zu explizieren und zu verteidigen. Man kann aber auch nach Auswegen suchen.

So reden die einen einer ökonomischen Auffassung der Trinität das Wort: Die verschiedenen Offenbarungs- und Wirkweisen Gottes sind im Rahmen der Heilsgeschichte, das ist ökonomisch, zu verstehen. Im Gegensatz zur klassischen Trinitätslehre, die die biblischen Aussagen metaphysiziert, geht eine ökonomisch verstandene Trinitätslehre das Problem von der Erfahrung her an. Ein berühmter Vertreter dieser Richtung,[170] von dem wir schon gesprochen haben, ist Schleiermacher. Er setzte sich von der klassischen Einteilung der Dogmatik ab und gab seiner Glaubenslehre eine ganz neue Struktur. Die ökonomisch verstandene Trinität erwies sich dabei als geeignete Zusammenfassung seiner Dogmatik.

Buri nun knüpft an die Position Schleiermachers an[171]. Auch er sieht in der Trinitätslehre eine Zusammenfassung seiner Dogmatik. Allerdings kommt in Buris Theologie – anders als bei Schleiermacher – der christologische Ansatz voll zum Tragen. Es gibt kein Reden vom Vater oder Geist, es sei denn im Lichte der Christologie. Person wird ein Mensch nur durch Bezogen-Sein auf Transzendenz[172]. Christlich wird die-

165 Vgl. Buri, Fritz: Der Pantokrator, S. 107–114.
166 Vgl. Denzinger/Schönmetzer, Nr. 150.
167 Vgl. ebd., Nr. 75.
168 Vgl. Buri, Fritz: Der Pantokrator, S. 112.
169 Vgl. Denzinger/Schönmetzer, Nr. 125.
170 Vgl. Tetz, M. (Hrsg.): Friedrich Schleiermacher und die Trinitätslehre. Gütersloh, 1969.
171 Siehe Buri, Fritz: Der Pantokrator, S. 113. Vgl. auch oben, S. 38.
172 Siehe oben, S. 22–24.

selbe, wenn sie sich durch Christus als auf Transzendenz bezogen erfährt[173]. Alle Aussagen über Göttliches stehen deshalb notwendig im Christus-Horizont.

b. Christologische Trinität[174]

Für Buri spielt, wie gesagt, die Schöpfungslehre eine zentrale Rolle. Sie hat einen dreifachen Ductus: 1. creatio e nihilo und concursus divinus (Gott Sohn); 2. gubernatio (Gott Heiliger Geist); 3. conservatio in vitam aeternam (Gott Vater)[175].

Gott Sohn: Wie oben gesagt ist die creatio e nihilo das Symbol für einen unableitbaren Neuanfang als Person. Der Mensch erfährt sich – in der Begegnung mit Christus – als neues Sein, und zwar e nihilo, d. h. durch Gnade. Dieses neue Sein muß je und je gelebt und gestaltet werden. Dabei erfährt sich der Mensch zwar als verantwortlich, aber nicht allein gelassen. Christus trägt sein Leben mit (concursus divinus). Die Gewißheit, daß das immer so bleiben wird, erhält seinen Ausdruck im Wort vom ›Bund‹.

Gott Heiliger Geist: Existenzielles Personsein wird auch, in der Begegnung mit Christus, in anderen Menschen lebendig. Christliches Glauben ist nicht auf mein Personsein eingeschränkt. Es ist etwas, das sich fortsetzt und weder räumliche noch zeitliche Grenzen kennt. Wo immer Menschen sind, ist Person-Werdung in Christus möglich. Diese Universalität des Glaubens hat biblisch in der Sendung des Geistes einen Ausdruck erhalten. Der Geist weht, wo er will. Er führt aber zusammen (Kirche) und betreibt die Vollendung der Welt (universale Eschatologie).

Gott Vater: Der Geist macht ausdrücklich, was zwar schon im Christus-Dogma angelegt ist, im Reden vom Sohn Gottes aber nicht genügend zum Ausdruck kommt. Nicht anders ist es bezüglich Gottes des Vaters. Er, von dem nach dem Dogma Sohn und Geist ausgehen, ist der alles erhaltende Hintergrund. Er bedeutet darum auch für den einzelnen die Garantie der persönlichen Erfüllung (conservatio in vitam aeternam).

Die drei göttlichen Personen, mit einem je eigenen Wirkkreis, gaben im traditionellen Verständnis der Trinität schwer zu lösende Probleme auf. Wie sollte die Verschiedenheit mit der Einheit in Einklang gebracht werden? In Buris Sicht sind Vater, Sohn und Geist als Symbole der Fülle des Inhaltes des Selbstverständnisses des Glaubens zu sehen[176]. Das heißt, daß es sich bei aller Verschiedenheit der Ausfaltungen doch stets um das eine Selbstverständnis des Glaubenden in seiner Unbedingtheit handelt. Es ist damit möglich, »Einheit im Ausgangspunkt und Wirksamwerden im Sich-erfüllen in verschiedenen Formen miteinander zu verbinden. Zusammen aber ergeben sie die Fülle, die im Selbstverständnis des Glaubens beschlossen liegt und die in allem Reichtum doch eine Einheit bildet«[177].

173 Siehe oben, S. 27/28.
174 Vgl. Buri, Fritz: Der Pantokrator, S. 114.
175 Vgl. Buri, Fritz: Dogmatik als Selbstverständnis des christlichen Glaubens. Band 3 (unveröffent-licht), alle Kapitel. Dieser Band trägt den Titel: Die dreifache Schöpfung des dreieinigen Gottes.
176 Siehe Buri, Fritz: Der Pantokrator, S. 114.
177 Buri, Fritz: ebd., S. 114.

c. Abwehr von Mißverständnissen

Es sei in diesem Zusammenhang nochmals betont, daß für Buri die Trinitätslehre nicht eine Struktur im glaubenden Subjekt bedeutet, sondern daß umgekehrt ein menschliches Subjekt durch Erfahrung eines letztlich nicht zu fassenden Transzendenzbezuges gläubig wird. Ontologie (Christologie) und Eschatologie, Vorsehung und Ekklesiologie, haben es mit einer Wirklichkeit zu tun, die sich auf dem Hintergrund eines Unaussagbaren ereignen. Dieses Unaussagbare – wenn wir etwas darüber aussagen, wird es notwendig verobjektiviert – ist nicht bloß das Nichts, als das es für begrifflich gegenständliches Denken erscheint. Das Nichts ist der Abgrund des Seins. Das Selbstverständnis erweist sich hingegen als creatio e nihilo[178]. Das Nichts ist nämlich – im Bereich objektiver Bestimmtheiten – der Ermöglichungsgrund des unbegreifbaren Personseins. Das Personsein, in Gnade erhalten, erfährt sich als getragen von unsichtbarer Macht. Diese Wirklichkeit ist freilich eine Glaubenswirklichkeit und nur im Ereignis gegenwärtig.

Gott kann in diesem Horizont nicht Gegenstand des Glaubens sein, wohl aber Wirklichkeit für Glauben. Und nur im Blick auf diese Glaubens-Wirklichkeit ist die Frage nach der Wirklichkeit Gottes zu beantworten. Außerhalb des Glaubens haben wir es mit Vergegenständlichungen Gottes zu tun, die leicht zu Götzen werden können[179]. Im Vollzug des Glaubens aber wird Gott als wirklich erfahren. Damit ist jedoch, noch einmal sei es gesagt, nicht eine objektiv ausweisbare Wirklichkeit, sondern das unverfügbar Unbedingte einer Glaubenserfahrung gemeint. In diesem Zusammenhang steht bei Buri nicht nur die Frage nach Gott, sondern auch die Lehre von den Eigenschaften Gottes[180]. »Die rechte Eigenschaftslehre ist nichts anderes als der Versuch der Systematisierung des Seins in Christus, der Fülle Gottes in Christus«[181], wie auch die Trinitätslehre eine systematische Zusammenfassung der christologischen Ontologie und Eschatologie ist.

Der Glaube gibt uns, da er in Beziehung auf Transzendenz steht, Anlaß, von Gottes Wesen zu sprechen. Diese Beziehung kann nicht in Psychologie aufgelöst werden. Buri steht hier in Gegensatz zu Schleiermacher[182], für den der Mensch sein (psychologisch zu verstehendes) schlechthinniges Abhängigkeitsgefühl auf einen Ursprung bezieht, »so daß die Eigenschaften Gottes nichts anderes als Aussagen des religiösen Bewußtseins über die Art seines Bezogenseins auf sein Woher darstellen«[183]. Nach Buri sprechen wir von Gottes Sein unter dem Aspekt des Gerufenseins, des Instand-gesetzt-Seins, des Gerichtet-Seins in unserem Personsein. »Gottes Sein ist gerade nicht ein immanentes, in sich ruhendes Sein, sondern besteht in seinem Herausgehen, in seiner Wendung zum Geschöpf, in dem das Geschöpf sich als Geschöpf erfährt, und ist deshalb auszusagen in den attributa transeuntia«[184]. Damit ist Gott,

---

178 Vgl. Buri, Fritz: Der Pantokrator, S. 115.
179 Vgl. Buri, Fritz: ebd., S. 116.
180 Siehe Buri, Fritz: ebd., S. 115–132.
181 Buri, Fritz: ebd., S. 123.
182 Vgl. Buri, Fritz: ebd., S. 122.
183 Buri, Fritz: ebd., S. 122.
184 Buri, Fritz: ebd., S. 124.

nach Buri, aus sich herausgehende Seinsfülle, und wird in Christus als Wirklichkeit offenbar. Im Vollzug des Selbstverständnisses ist der Glaubende der Seins- und Wesensfülle Gottes gewiß. Das Selbstverständnis des Glaubens erweist sich als Schale, in der wir der göttlichen Wesensfülle gewahr werden. Gott macht sich uns im gläubigen Selbstverständnis selbst zugänglich.

IV. Der gepredigte Christus

So wie Christus ›im Himmel‹ das Zentrum ist (christologische Trinität), so ist er es auch für ein gläubiges Leben ›auf Erden‹[185]. Mit anderen Worten, christlicher Glaube hat auch Konsequenzen für den tagtäglichen Lebensvollzug. Und von diesem fällt wiederum Licht auf die Christologie. Vor allem zwei Elemente christlichen Lebens sind für ein volles Verständnis der Christologie wichtig: Gebet und Kirche[186]. Beide haben Buri immer wieder theologisch beschäftigt, beide haben auch sein Leben tiefinnerlich bestimmt.

1. Das Gebet[187]

»Der systematische Theologe hat sich nicht nur ein Bild von der Erscheinungswelt des Gebetes in der Gegenwart und Geschichte seines eigenen Glaubens und in der Religions- und Frömmigkeitsgeschichte zu machen: er hat auch die Frage nach der Rechtmäßigkeit dieser religiösen Erscheinung in ihrer ganzen Mannigfaltigkeit und Verflochtenheit zu stellen und im Sinne einer Auskunft über das rechte Gebet zu beantworten«[188].
Das rechte Gebet ist für Buri keineswegs eine belanglose Angelegenheit. In gewissem Sinne nimmt es sogar eine Schlüsselstellung ein, versteht doch Buri seine Dogmatik als Hinführung zum rechten Beten[189]. Was heißt das? In den letzten Jahren wurde viel über das Gebet nachgedacht. Immer wieder klang dabei auch die Frage nach Gott als Person an. Hatten die einen, z. B. die Gott-ist-tot-Theologen, das Gebet und damit die Frage nach der Persönlichkeit Gottes gegenstandslos gemacht, sehen andere im Gebet ein ausgezeichnetes Medium der Gotteserfahrung. Zu den letzteren muß in gewissem Sinne auch Buri gezählt werden. In jedem Falle hilft uns sein Gebetsverständnis eine für eine Christologie wichtige Frage zu klären, nämlich jene nach der Personalität Gottes.

185 Vgl. Buri, Fritz: Das dreifache Heilswerk Christi und seine Aneignung im Glauben. Hamburg-Bergstedt, 1962.
186 Vgl. Buri, Fritz: Das lebendige Wort. Meditationen über das erste und letzte Buch der Bibel. Hamburg-Bergstedt, 1957. Vgl. auch Buri, Fritz: Die Bilder und das Wort am Basler Münster. Basel, 1961.
187 Vgl. Buri, Fritz: Der Pantokrator, S. 145–157. Vgl. auch Buri, Fritz: Gebete Nr. 40, 41, 42, in: Liturgie, hrsg. im Auftrag der Liturgie-Kommission der evang.-reform. Kirchen in der deutschsprachigen Schweiz. Bern, 1964.
188 Buri, Fritz: Der Pantokrator, S. 150.
189 Siehe oben, S. 35.

Es ist längst klar geworden, daß für Buris Christologie das menschliche Personsein im Zentrum steht. Wie steht es nun mit dem Personsein Gottes, das doch, wenn wir beten, angesprochen wird? Denn Gebet ist eine Form von Miteinander-Reden. Ein Gespräch setzt ein Gegenüber voraus, mit dem man sich verständigen kann. Es ist also nicht bloß Selbstgespräch. Damit ein wirkliches Gespräch zustande kommt, müssen beide Teile sprechen, aber auch aufeinander hören, aufeinander eingehen können. Im Gebet sind neben Wörtern und Sätzen auch andere Ausdrucksmittel möglich, z. B. Schweigen, Gesten, Laute usw. Es ist eine Erfahrungstatsache, daß gerade diese Ausdrücke oft viel spontaner geschehen als das Wort. Eines dieser Ausdrucksmittel kann auch das ›innere Sprechen‹ sein. Denn »der Mund und das Ohr des Gebets ist die Seele«[190]. Beten ist ferner keine Selbstverständlichkeit. Ist doch das Gegenüber kein Mensch, sondern Gott. Hört Gott, spricht Gott? Der Beter rechnet auf alle Fälle damit, sonst würde er gar nicht mit diesem Gott reden. Der Beter spricht zu Gott wie zu einem Menschen und versteht ihn, wenn er Antwort erhält, wie er einen Menschen versteht. Immer ist es ein personales Reden, denn Gott ist für den Betenden eine Person. Diese Person wird mit ›Herr‹ oder ›Vater‹ oder sonst einem Personennamen angeredet. Die Menschlichkeit dieser Vorstellungsformen machen dem Beter keine Mühe. Es spricht bedenkenlos von Gottes Liebe, Gottes Willen, seiner Güte und Strafe usw. Ja, ohne diese personalen Umgangsformen wäre das Gebet nicht möglich. Denn zu einem unpersönlichen Wesen können wir nicht beten. Dies zeigt die Religionsgeschichte, nach der Gebete erst dort vorkommen, wo die Macht oder die Mächte personhaften Charakter annehmen. Bloßes Abhängigkeitsgefühl oder Schauder vor dem Übermächtigen sind noch kein Gebet[191].

Wenn auch der Betende mit Gott wie mit einem menschlichen Gegenüber spricht, so ist Gott doch nicht ›gegenüber‹ wie ein Objekt. Das bewußt zu machen, ist Aufgabe des Theologen. Freilich, sobald über das Gebet reflektiert wird, können wir das nur wieder in unserem denkenden Bewußtsein tun und sind damit auf das Subjekt-Objekt-Schema, das allem bewußten Denken und Reden zugrunde liegt, verwiesen. Dieses unaufhebbare Stehen im Subjekt-Objekt-Schema erklärt auch, warum der Mensch Gott ›spontan‹ zu einer Art Objekt, zu einem Gegenüber, macht und dementsprechend betet.

Für Buri beginnt das eigentliche Beten erst da, wo das Subjekt-Objekt-Schema durchbrochen und personal-existenziell gebetet wird. Da gibt es »weder ein absolutes Gegenüber in irgend einem Draußen oder Jenseits noch ein unbedingtes Subjekt in irgend einer Tiefe unseres Ichs . . ., sondern nur die Welt der Erscheinungen dessen, was Welt für mich ist, wozu auch gehört, als was ich mir erscheine. In dieser alles umfassenden Bewußtseinsstruktur mag es wohl Gott und Götter als Größen dieser meiner Welt geben, aber keinen Gott, von dem gesagt werden könnte, daß er unabhängig von einem denkenden Bewußtsein wäre, also keinen Gott, an den ich mich wenden könnte, und der sich an mich wenden würde, wie dies doch zum Wesen des

190 Buri, Fritz: Der Pantokrator, S. 147.
191 Siehe Buri, Fritz: ebd., S. 148.

Gebets gehört«[192]. Im existenziellen Gebet wird das Subjekt-Objekt-Schema nicht nur bezüglich Gott, sondern auch bezüglich des Betenden durchbrochen.

Das heißt: erst durch einen Bruch mit dem üblichen (objektiven) Selbstverständnis kann der Betende zum ›rechten‹ Beten kommen. Dieses impliziert nämlich den Vollzug des Selbstverständnisses als Person, was unverfügbar, d. h. Gnade, ist. Ein objektiver Zuschauer kann damit weder das Beten, noch den im Gebet Angesprochenen wirklich verstehen. Das gilt sogar für den Betenden selber. Erst dort wo der Beter seinem eigenen Beten gegenüber nicht mehr zuschaut, sondern im Vollzug aufgeht, ereignet sich wahres Beten. Über dieses läßt sich nicht, so wenig wie über personale Existenz, bzw. die im Gebet erfahrene transzendente Person, in gegenständlich-begrifflicher Weise adäquat reden.

Im Vollzug von Existenz nun werden wir uns nicht nur als ein denkendes oder seiendes Selbst inne, sondern als ein Wesen, das sich zu unbedingter Verantwortung gerufen weiß. Der Mensch vernimmt »aus dem Schweigen des Seins im ganzen heraus die Stimme, die es in der Erfahrung seiner Bestimmung zum Personsein zur Verantwortung ruft«[193]. Nur im Hören und Eingehen auf diese Stimme werden wir Person. Diese Stimme ist nun nicht ein unfaßliches Etwas oder der Ruf des Seins (Heidegger). Es offenbart sich in ihr eine ›besondere Wirklichkeit‹, die freilich nur für personale Existenz verstehbar ist. Da wir die Stimme als unbedingten Ruf vernehmen und ihr die Person-Werdung verdanken, erfahren wir den ›Rufenden‹ als personale Transzendenz. In der Gestalt personaler Transzendenz trifft uns die ›Gottheit‹ selber.

Die Gottheit ruft uns in der Sprache, in der wir sprechen, und erwartet von uns Antwort. Jede Religion, auch die christliche, hat ihre ganz besondere Geschichte mit dieser Stimme. Und diese Geschichte muß wiederum zum Verstehen dieser Stimme erforscht werden. Dann werden für uns die verschiedenen Symbole verständlich. Was aber durch diese Stimme immer wieder vernommen wird, ist der Ruf zur Verantwortung der Transzendenz, aber auch den anderen Menschen gegenüber (Gemeinschaft).

Wenn Buri seine Theologie eine Theologie der Existenz nennt, ist unter Existenz also immer auch betende Existenz gemeint. Nur da, wo sich der Mensch zu seiner eigentlichen Bestimmung gerufen fühlt und darauf in Verantwortung – betend – eingeht, kann eine existenzielle Christologie einsetzen. Nur dann nämlich kann Transzendenz, die unter uns Gestalt annimmt (Christus) wirklich verstanden werden.

2. Die Kirche[194]

Die Kirche verdankt nach Buri ihr Entstehen dem Ausbleiben der Parusie. Wenn der Satz von Alfred Loisy »›Es wurde das Reich Gottes erwartet, und es kam die Kirche‹«[195] auch von Buri geschrieben sein könnte, so ist doch die Kirche für Buri nicht

---

192 Buri, Fritz: Der Pantokrator, S. 152.
193 Buri, Fritz: ebd., S. 155.
194 Vgl. Buri, Fritz: ebd., S. 84–97. Vgl. auch Buri, Fritz: Dogmatik als Selbstverständnis des christlichen Glaubens. Band 3 (unveröffentlicht), S. 277–461.
195 Buri, Fritz: Der Pantokrator, S. 87.

erst eine Schöpfung der Urgemeinde, sondern bereits in Jesu Verkündigung grundgelegt. Jesus berief Menschen ins Reich Gottes und zum Dienst an demselben. Sie wurden von Jesus zur Teilnahme am neuen Äon bestimmt, auch wenn sie die Berufung zurückweisen konnten. Die Vereinigung der Erwählten ist die Kirche[196]. Die so verstandene Auffassung von Erwählung und Gemeinschaft deckt sich nach Buri mit den spätjüdischen Vorstellungen des auserwählten Volkes, aber auch mit denjenigen der jungen Kirche und setzt sich in den christlichen Kirchen bis heute fort. Die Auserwählten, bzw. die Gemeinde des neuen Äons aktualisieren entweder immer von neuem die eschatologischen Vorstellungen in die jeweilige Gegenwart hinein, oder bilden sie in der Verkündigung, je nach Bedürfnis, um.

Buri weiß wohl, daß er damit ein Kirchenverständnis vertritt, das nicht alle Theologen teilen. Im Grunde interessiert ihn die historische Entstehung der Kirche nicht, sondern nur ihre Funktion. Innerhalb der Christologie von der Kirche zu sprechen, hat denn auch nur den Sinn, zu zeigen, welche Funktion Christus in der kirchlichen Gemeinschaft hat, und abzuklären, ob diesem Christus nach wie vor der gleiche Stellenwert zukommt, oder ob wir in einer ›nachchristlichen Ära‹[197] leben.

Wenn auch die gegenwärtige Kirche ihre Existenz einer enttäuschten Erwartung verdankt, gibt uns doch ihre geschichtsmächtige Kraft Fragen auf. Die enttäuschte Naherwartung hat für Buri durchaus positive Seiten[198], denn die Frucht davon ist die Kirche. Und diese spricht immer wieder, durch alle geschichtlichen Enttäuschungen hindurch, das menschliche Sinnverlangen an, gibt ihm Ausdruck, stimuliert zu einem neuen Selbstverständnis. Im Abschnitt über den ›eschatologischen Christus‹ wurde aufgezeigt, in welchem Sinne jeder Mensch eschatologische Existenz ist[199]. Objektive Weltanschauungen, Erwartungen, Wünsche usw. geraten ja immer wieder in die Krise. Die biblische Eschatologie gibt, in einer mythologischen Form, dieser urmenschlichen Situation Ausdruck.

Ferner sahen wir, daß im existenziellen Selbstverständnis die Eschatologie mit der Schöpfungslehre zusammenzusehen ist. Schöpfung ist der mythologische Ausdruck für das Ereignis des verantwortlichen Personwerdens. Innerhalb der objektiven Bedingtheiten ist der Mensch zur Verwirklichung eines neuen Seins in Unbedingtheit gerufen. Durch diesen Ruf wird sein bisheriges Dasein erschüttert, und zwar so, daß er einerseits seines Ungenügens und seiner Schuld bewußt wird, andererseits diesen Ruf als neue Möglichkeit der Erfüllung seines verfehlten Daseins durch Sühne und Versöhntwerden verstehen darf. So wird die alte Schöpfung, die durch das Verfehlen der Eigentlichkeit gesündigt hat, abgelöst durch die Neuschöpfung eines verantworteten Personseins, was Versöhnung bedeutet. Wo sich diese neue Schöpfung in Christus ereignet, ist Parusie. Die Parusie ist somit die Verwirklichung der schöpfungsmäßigen Möglichkeit eigentlichen Personseins[200].

Mit diesen Hinweisen ist gesagt, daß die Christologie in einen Raum hineinspricht, der dem Menschen unverfügbar ist und immer unverfügbar sein wird, hat er doch nicht mit (machbarer) Objektivität zu tun, sondern mit Existenz. Wer fragt, ob wir

196 Siehe Buri, Fritz: Der Pantokrator, S. 84.
197 Vgl. Buri, Fritz: Kirche in nachchristlicher Zeit, in: Zur Theologie der Verantwortung, S. 251–268.
198 Siehe Buri, Fritz: Der Pantokrator, S. 87.
199 Siehe oben, S. 46/47.
200 Siehe Buri, Fritz: Der Pantokrator, S. 88.

nicht bereits in einer ›nachchristlichen Ära‹ leben, fragt objektiv. Das heißt aber auch: er bleibt am Äußerlichen der Christologie hängen. Daß dasselbe als ›unmodern‹ empfunden werden kann, ist nicht zu bestreiten. Für das Existenzielle in ihr sind aber ›modern‹ oder ›unmodern‹ keine möglichen Bestimmungen. Wo jemand ›an‹ oder ›durch‹ Christologie zu Existenz findet, wird er sie immer als aktuell empfinden.

Das Wesen und die Aufgabe der Kirche besteht darin, für dieses Geschehen immer wieder Raum zu schaffen, von ihm zu sprechen, zur Umkehr zu rufen, Mut zu machen. Die Kirche ist auch der Ort, wo das, was Christologie eigentlich meint, lebendig erhalten wird, wo die Menschen aufgefordert werden, verantwortetes Personsein zu verwirklichen. Damit ist gesagt, daß existenzielles Theologisieren erst in der Christusverkündigung seinen vollen Sinn findet.

V. Der nicht-biblische Christus

Eine Arbeit, die Buris Christus-Verständnis darstellen will, darf nicht abgeschlossen werden, ohne daß Christus, oder wenigstens seinen Spuren, nicht auch im außerbiblischen Raum nachgegangen wird.

Buris Schriftverständnis bedeutet innere Freiheit dem Buchstaben der Schrift gegenüber und macht seinen Horizont weit. Will man den nichtbiblischen Christus bei Buri zur Sprache bringen, muß sein Schriftverständnis geklärt sein. Wie Buri die Bibel versteht, zeigt sich u. a. in der Auseinandersetzung mit Bultmanns Entmythologisierungsprogramm, dem er dasjenige der Entkerygmatisierung entgegensetzte. Wer weiß, worum es da geht, versteht auch, warum in einer Christologie ein Abschnitt über den nicht-biblischen Christus geschrieben werden kann und muß (1. Abschnitt).

Das Entkerygmatisierungsprogramm zeigt, daß der Geist der Schrift das Entscheidende ist. In Buris Theologieverständnis übersetzt heißt das: der Glaube artikuliert sich wohl in Objektivitäten, geht aber nie in denselben auf. Der Geist der Schrift ist das Entscheidende. Worum es dem Christlichen geht, kann sich auch dort ereignen, wo die Begrifflichkeit (Objektivität) nicht mehr christlich ist. An Gottfried Keller und Carl Spitteler zeigt Buri auf, wie dieses Ringen um Glauben (Keller) und um den Ausdruck des Glaubens (Spitteler) vom ›Geiste Christi‹ getragen und damit für den Gläubigen eine Botschaft sein kann, auch wenn darüber in dichterischer Freiheit gesprochen wird (2. Abschnitt).

Damit ist allerdings nicht gesagt, daß jede andere Artikulierung auch schon Ausdruck der Wahrheit ist, selbst wenn ihr das Ringen um Wahrheit nicht abgesprochen werden kann. Ein typisches Beispiel dafür ist der Buddhismus. So sehr Buri vom Buddhismus angetan, ja fasziniert ist, er kann sich mit ihm nicht identifizieren. Das Problem dabei ist nicht der Ausdruck, wohl aber das Heil des Menschen: Person-Werdung oder Aufhebung der Personalität (3. Abschnitt).

I. Der entkerygmatisierte Christus[201]

Es kann nicht von Entkerygmatisierung gesprochen werden, ohne diese sofort mit Bultmanns Aufsatz ›Neues Testament und Mythologie‹[202] und der anschließenden heftigen Diskussion über die Entmythologisierung in Verbindung zu bringen. Buri versteht sein entkerygmatisiertes Christusverständnis tatsächlich als ein Zuendedenken des Programms von Bultmann. In unseren Ausführungen kommt Bultmanns Theorie jedoch nur soweit zur Sprache, als sie zum Verständnis der Kritik und Radikalisierung Buris nötig ist. Drei Punkte müssen dabei besonders hervorgehoben werden.

1. Bultmann hat wohl deutlich gezeigt, daß unser Weltbild, im Unterschied zu demjenigen des Neuen Testamentes, durch die neuzeitliche Wissenschaft bestimmt ist, und daß das Selbstverständnis des heutigen Menschen so beschaffen ist, daß ihm das Heilsgeschehen, von dem das Neue Testament Kunde gibt, fremd ist. Aber eine Frage, die das Urchristentum ungeheuer bewegt hat, nämlich das Nichteintreten der Parusie, hat Bultmann für Buri nicht gelöst. Für Buri war aber dies das zentrale Problem der jungen Christengemeinde. Für Bultmann hingegen war sie eine Frage unter anderen Fragen. Somit wurde für ihn das Weitergehen der Geschichte selbstverständlicher Anlaß zur Herausbildung des christlichen Kerygmas. Aber nur weil Bultmann nicht in Betracht zog, was sich historisch tatsächlich ereignete, konnte er – so Buri – von einem Kerygma aufgrund einer Heilstat Gottes in Jesus Christus reden[203]. Damit ersetzte Bultmann nämlich das geschichtlich nicht eingetretene Heilsereignis durch eine neue Mythologie: durch das Kerygma!

Für Buri hingegen ist das neutestamentliche Kerygma durch den tatsächlichen Geschichtsverlauf radikal in Frage gestellt worden, und zwar so, daß es konsequenterweise »*weder eine Möglichkeit noch eine Notwendigkeit eines Kerygmas* von einer Heilstat Gottes in« Christus im Sinne der eschatologischen Mythologie des N.T.s«[204] gibt. Danach brauchen wir keinen Heilsmythos mehr um zur Wirklichkeit des Heils zu kommen. Wohl aber sind wir, von der Erfahrung des Heils als Gnade, fähig, einen Heilsmythos zu verstehen.

2. Das Heilsgeschehen kann damit – wie dies Bultmann noch betonte – nicht in einer einmalig geschehenen Heilstat in Christus bestehen. Die Entkerygmatisierung ist die Absage an alles außer uns und an alles ohne uns Geschehene, an alles Objektive, und deshalb ist es auch Absage an das ›einmal‹ Geschehene. »Nicht an *einem* Punkt in der Geschichte hängt das Heil«[205]. Das Heilsgeschehen ist weder auf die Bibel, noch auf das Neue Testament oder auf die christliche Gemeinde eingeschränkt. Es kann sich immer neu ereignen.

---

201 Siehe Buri, Fritz: Entmythologisierung oder Entkerygmatisierung?, in: Zur Theologie der Verantwortung, S. 39–57.
202 in: Offenbarung und Heilsgeschehen. Beiträge zur Evangelischen Theologie 7. München, 1941.
203 Vgl. Buri, Fritz: Entmythologisierung oder Entkerygmatisierung?, in: Zur Theologie der Verantwortung, bes. S. 46.
204 Buri, Fritz: ebd., S. 52.
205 Buri, Fritz: ebd., S. 53.

Dieses Ereignis können selbstverständlich auch Menschen durch den Christusmythos erfahren und es entsprechend zum Ausdruck bringen. Auch kann das mythische Kerygma bewirken, daß Menschen auf die Möglichkeit des Heils aufmerksam werden. Es kann ihnen ihre Verfallenheit an die Götzen dieser Welt bewußt machen usw. Immer aber vollzieht sich das Heilsgeschehen im Bereich des personalen Selbstverständnisses. Und da dieses etwas Unbedingtes einschließt, erhält auch das ›Wodurch‹ dieser Erfahrung – eben z.B. die Christologie – für den einzelnen etwas Unbedingtes.

Die Einmaligkeit des Heilsgeschehens, von der das Neue Testament spricht, bringt den Unbedingtheitscharakter dieses Selbstverständnisses zum Ausdruck. Dieses aber muß sich in jedem einzelnen ereignen, wenn Heil aufbrechen soll. ›Wird Christus tausendmal zu Bethlehem geboren und nicht in dir, du bleibst noch ewiglich verloren (Angelus Silesuis). Analoges gilt vom Kreuz Christi: Wer nicht, wie Christus, gestorben und auferstanden ist, zu einer Existenz nämlich, die sich in konkreter geschichtlicher Situation auf Transzendenz bezogen weiß und von daher in Verantwortung lebt, der hat vom ›Ep Hapax‹ Christi nichts.

3. Mit der Frage Buris an Bultmann, ob die historische Skepsis nur den Zweck hat, »dem in der kirchlichen Verkündigung ergehenden Wort Gottes Raum und seinem ›Anspruch‹ ›gehorsamen Glauben‹ zu verschaffen«[206], kommen wir zum dritten Punkt. Gibt es denn Wörter – fragt Buri – die wir nicht mehr nach ihrer Legitimation befragen dürfen? Wenn wir doch um die Geschichtlichkeit wissen, die hinter jeder Verkündigung steht, »werden wir uns davor hüten, in diesem Worte etwas anderes als Menschenwort zu sehen«[207].

Bultmann fürchtet offenbar, daß der Glaube der Wissenschaft ausgeliefert wird, wenn das Kerygma der geschichtswissenschaftlichen Prüfung unterstellt wird. Mitnichten sagt Buri: Was alles aus der Geschichte, und gerade auch durch die Verkündigung, in meinen Horizont tritt, trifft zunächst einmal auf meine Verantwortung, und wird von meinem Selbstverständnis her interpretiert. Existenzielles Selbstverständnis weiß die Botschaft der Schrift zu vernehmen; an die Objektivität verfallenes Selbstverständnis wird durch Bultmann im besten Falle irritiert, dann aber zur Tagesordnung übergehen oder einen Modus vivendi suchen.

In Buris Verständnis der christlichen Geschichte und Verkündigung bedeuten objektive Tatsachen nicht Heil. Folglich erschließt mir auch ›das Kerygma‹ Ostern nicht. Was Ostern meint, vermag ich letztlich nur aus einem Zu-mir-selber-Kommen, das Gnade ist, zu verstehen. Bloße Entmythologisierung liefert das Zeugnis der Bibel der Wissenschaft aus. Dabei ist sie nicht konsequent. Um den Glauben zu retten, will sie noch einen Rest von Objektivität, das Kerygma, retten. Sie merkt nicht, daß sie dabei ein wirklich existenzielles Glaubensverständnis verhindert. Ein solches macht erst Entkerygmatisierung möglich. Diese hat es dann auch nicht nötig, in der Bibel einen Bildersturm zu veranstalten. Für sie bedeuten die Mythen der Bibel Reichtum. Wie wollten wir zum Beispiel ohne sie das, von dem die Letzten Dinge

206 Buri, Fritz: Entmythologisierung oder Entkerygmatisierung?, in: Zur Theologie der Verantwortung, S. 53.
207 Buri, Fritz: ebd., S. 53.

oder das Christusereignis sprechen, zum Ausdruck bringen? Darum muß unsere Mühe der Interpretation der Mythen, aber auch ihrer Überlieferung gelten[208].

2. Christus und Literatur

Buri war der Literatur schon immer verpflichtet. Nach dem Abschluß seiner theologischen Studien war er drei Semester an der Phil. Fakultät in Bern eingeschrieben. Der Krieg durchkreuzte dann seine diesbezüglichen Studienpläne. Seine Begeisterung für Literatur aber ist geblieben. Die Beschäftigung mit literarischen Werken war ihm aber nicht Selbstzweck. Er blieb dabei Theologe. Buri war nämlich überzeugt, daß Literatur, wie auch Musik oder darstellende Kunst, um dasselbe Geheimnis kreisen können wie Theologie, und dieses unter Umständen ebenso gut oder gar besser zum Ausdruck bringen als theologische Abhandlungen. Ein Gedicht z.B. birgt, von seinen Intentionen und Mitteln her, die Gefahr der Verobjektivierung viel weniger in sich, als wissenschaftliches Reden. In der poetischen Sprache wird immer auch Raum offengelassen, der den Leser zu persönlicher ›Füllung‹ einlädt, bzw. herausfordert. Somit wirkt Poesie in einem Sinne, dem sich auch Buri in seiner Theologie verpflichtet fühlt: das Abwehren der Vergegenständlichung der tiefsten menschlichen Wirklichkeiten, und das Herausfordern zu persönlichem Engagement. An zwei Dichtern – Gottfried Keller und Carl Spitteler – sei das Gemeinte kurz verdeutlicht. Es vervollständigt zugleich das, was Buris Christus-Verständnis zum Ausdruck bringen will.

So sehr es zunächst überraschen könnte, für Buri sind Gottfried Keller (1819–1890) und Carl Spitteler (1849–1924) religiöse Dichter. Nicht nur war der Nährboden ihrer Dichtung die christliche Überlieferung, beide setzten sich auch auf ihre Weise mit der christlichen Vergangenheit auseinander und suchten nach neuen Wegen. Dies vorab hat Buris theologisches Interesse geweckt[209].

a. Gottfried Keller

Gottfried Keller fühlte sich als einen religiösen, nicht aber kirchlich gebundenen Menschen. Es wäre deshalb müßig, bei ihm nach positiven christologischen Überlegungen zu suchen. Aber sein Interesse galt einem Thema, das in der Theologie schon immer mit der Christologie in Verbindung gebracht wurde, nämlich: der Lehre von der Erlösung. Das ist der Grund, warum es im Rahmen einer Christologie sinnvoll ist, auf Gottfried Keller einzugehen.

---

208 Vgl. Buri, Fritz: Entmythologisierung oder Entkerygmatisierung?, in: Zur Theologie der Verantwortung, S. 55–57.
209 Vgl. dazu Buri, Fritz: Der Einfall der Gnade in Dürrenmatts dramatischem Werk, in: Zur Theologie der Verantwortung, S. 94–120. Ferner Buri, Fritz: Gottfried Kellers Beitrag zu einer künftigen protestantischen Wirklichkeitstheologie, in: Religiöse Gegenwartsfragen, hrsg. v. J. Böni und W. Nigg, Heft 11. Bern, 1944.

Den entscheidenden Durchblick gibt Buri mit seinem Gottfried-Keller-Buch[210]. Nach diesem geht es Keller um den Glauben, und zwar um die Lehre des Glaubens als Erlösung von der Sünde. Auf der einen Seite macht der Glaube allein selig, auf der anderen Seite steht die Forderung nach guten Werken. Wie soll dann, so fragt er, aus einem unbegreiflichen Glauben an das eigene Unvermögen infolge eines Sündenfalls und aus dem Sühnetod Christi den Menschen die Fähigkeit zu guten Werken erwachsen? Keller sagt einem Glauben ab, der nur an die Angst appelliert, den Verstand in unlösbare Probleme verwickelt, der den Leidenschaften nicht gewachsen ist und damit letztlich versagt[211]. Das Wort ›Sünde‹ war Keller verhaßt, wie auch das Wort ›Barmherzigkeit‹. Vielmehr wollte er ganz unbarmherzig die Sache selbst ausfechten und sich selbst verurteilen. Die Auffassung von real erfahrbarer Erlösung ist verbunden mit der Bereitschaft, erkannte Schuld auf sich zu nehmen und nach Möglichkeit wiedergutzumachen. Der Heilsweg heißt da: »Ich schulde, ich dulde«[212]. Schuld nun ist eine Wirklichkeit, die nicht mit dem Verstande, und das heißt: nicht objektiv, zu erklären ist. Schuldbewußtsein entsteht bei Verletzung personaler Bindungen und Verpflichtungen. Schuld empfindet ein reuiges Herz, ohne es sich erklären zu können. Das Moment des Unerklärbaren gehört wesentlich zu Schuld. Dieses Moment des objektiv nicht Erklärbaren in Kellers Erlösungsverständnis hatte es Buri angetan. Kellers Heilsweg: ›ich schulde, ich dulde‹, ist freilich mit dem kirchlichen Verständnis von Erlösung nicht identisch. Für Buri bedeutet er aber eine wirkliche Heilsmöglichkeit, denn Erlösung ist weder eine bloße Theorie, noch eine Illusion des sich selbst überlassenen Menschen. Erlösung ist »die Erfahrung eines Geschehens, durch welches sinnvolle Lebens- und Weltgestaltung möglich wird«[213]. Das hat Keller erkannt. Und da »*das wahre Christliche zugleich das wahrhaft Menschliche und das zutiefst Menschliche das wesenhaft Christliche*«[214] ist, ist Keller der erlösende Glaube nicht abzusprechen. Es ist die anima humana naturaliter christiana, die aus Kellers Überlegungen spricht, nicht freilich in der objektiven Orthodoxie des Wortes, wohl aber im persönlich-existenziellen Ergriffensein von einer Wahrheit, um die auch der christliche Glaube weiß: von der Erlösung. Es wird im ›ich schulde, ich dulde‹ etwas sichtbar, was auch beim existenziell verstandenen christlichen Heilsweg nicht anders ist: die Erfahrung, daß uns aus einem Unbegreiflichen heraus – dürfen wir es auch bei Keller ›Transzendenz‹ nennen? – Heil und Erlösung zuwächst. Denn das Dulden, die Wiedergutmachung ist eines. Es steht im Verfügen des Menschen. Sich befreit und erlöst fühlen dagegen ist ein anderes. Es ist unverfügbar.

210 Buri, Fritz: Gottfried Kellers Glaube. Ein Bekenntnis zu seinem Protestantismus. Bern, 1944, 199 Seiten. Diese Schrift liegt unseren Ausführungen über Gottfried Keller zugrunde.
211 Siehe Buri, Fritz: ebd., S. 163–199.
212 Buri, Fritz: ebd., S. 163.
213 Buri, Fritz: ebd., S. 197.
214 Buri, Fritz: ebd., S. 197.

b. Carl Spitteler[215]

Noch bedeutsamer für Buris Christus-Verständnis als Gottfried Keller ist Carl Spitteler, insofern er in seinen Schriften nicht nur den Heilsglauben zum Ausdruck bringt, sondern ausdrücklich auch mit Glaubenssymbolen – freilich nicht in direkt christlichem Sinne – ringt. Spitteler, in Sachen Christentum wie Keller ein protestierender Dichter, litt an den versteinerten Formen und Vorstellungen der christlichen Tradition und suchte nach einem neuen Verständnis[216]. Bereits während seines Theologiestudiums befaßte er sich mit Reformplänen für das Christentum. Aus Gewissensgründen verzichtete er auf die geistliche Laufbahn. Er verlor den christlichen Glauben im traditionellen Sinn, begann aber zugleich nach dem Wahrheitsgehalt der verschiedenen Mythologien, die zum Teil heute noch Leben und Denken von Stämmen und ganzen Völkern bestimmen, zu fragen.

Bei seinem Unterfangen leitete Spitteler die unmittelbare Anschauung der metaphysischen Welt[217]. Er betrachtete die Dinge, auch die Mythen, solange, bis er durch sie hindurch das Ewige erblickte. Dazu fühlte er sich als Dichter nicht nur berufen, sondern auch befähigt. Im übrigen ist des Dichters Aufgabe zwiefach: einerseits das Schaudern vor den Sinnlosigkeiten des Daseins und den Protest dagegen kundzutun, andererseits die Sehnsüchte und Wünsche und deren Erfüllung auszumalen. Denn in der Innerlichkeit des Subjekts streben wir nach Erfüllung, auch wenn uns dies die sichtbare Welt versagt. Letztlich geht es um den Sinn des Daseins. Da es darum auch in den mythischen Dichtungen geht, ist deren Wahrheit nicht Seins- sondern Sinnwahrheit[218]. »Mythen sind Symbole des Werterlebens der Sinnbestimmtheit menschlicher Existenz«[219].

Spitteler sprach damals in eine Welt hinein, die die alten Mythen gewöhnlich gegenständlich nahm. Für den, der an sie glaubte, waren sie Glaubensgesetz. Bei Spitteler wurden sie, wie gesagt, zu Sinndeutungen des menschlichen Daseins. Seit Bultmann[220] hat sich in dieser Frage manches geändert. Spitteler aber hatte, dichterisch, das neue Denken schon vorweggenommen: die Absage an das gegenständliche Verstehen der Mythen. Mythen geben nicht objektives Welterkennen wieder, sondern sind Chiffren menschlichen Selbstverständnisses. Hierin fühlte und fühlt sich Buri Spitteler verwandt.

Letzteres heißt nicht, daß er in allem Spittelers Ansichten geteilt hätte. Spittelers Selbstverständnis wurde nämlich zusehends pessimistischer. Er ließ schließlich die Widersprüchlichkeiten, die aus der Erfahrung sowohl des Sinnvollen als auch des Sinnlosen entstehen, in zwei letzten Prinzipien gegründet sein[221]. Spitteler sprach mit der Zeit in einer solchen Weise von denselben, daß es schwer hält, in ihnen noch

215 Vgl. Buri, Fritz: Prometheus und Christus. Größe und Grenzen von Carl Spittelers religiöser Weltanschauung. Bern, 1945, 282 Seiten.
216 Vgl. Buri, Fritz: ebd., bes. S. 5–30.
217 Vgl. Buri, Fritz: ebd., bes. S. 38–42.
218 Vgl. Buri, Fritz: ebd., bes. S. 259–261.
219 Buri, Fritz: ebd., S. 259.
220 Vgl. oben S. 69, Anm. 202.
221 Vgl. Buri, Fritz: Prometheus und Christus, bes. S. 245–282.

Symbole, Chiffren für Existenz und nicht gegenständliche Seinsurteile zu sehen. ›Der kranke Gott‹ wird zum letzten Grund des Daseins, mit dem die zum Gegengott erhobene Seele im Kampfe liegt und ihn schließlich besiegt. Spitteler hat damit unter der Hand eine dualistische Weltschau angenommen, mit einem vermenschlichten Gott und einem vergöttlichten Menschen.

Buris Kritik an Spitteler gilt der Verwechselung von objektivem Gehalt und Sinn von Mythen. Dieser Gefahr ist nur durch kritische Prüfung und Klärung des Mythosbegriffs beizukommen. Ist das Wesen des Mythos Ausdruck des Selbstverständnisses von Existenz, gibt es nichts anderes, als objektive Verständnisse des Mythos unermüdlich und unerbittlich zu bekämpfen.

Der Auseinandersetzung mit Spitteler verdankt Buri übrigens einen vertieften Schöpfungsbegriff. Dieser kündet von der Überwindung des Sinnlosen und einer absoluten Sinnvollendung. »Aus seinem ursprünglichen Sinnzusammenhang heraus verstanden, bezeichnet Christus ein besonderes schöpferisches Eingreifen Gottes in die Geschichte«[222]. Es wird das Sinnrätsel gelichtet und sinnvolles Verhalten ermöglicht. Das Entscheidende wird aber verfehlt, wenn man, durch die mythische Form verführt, die Bedeutung in objektiv-metaphysischen Wahrheiten sucht und sie nicht auf personale Existenz bezieht. Eine solche weiß sich von Transzendenz abhängig und deshalb als innerlich frei von der Welt, sowie zu tätiger (schöpferischer) Liebe gerufen. Darum sagt denn auch Jesus: »In der Welt habt ihr Angst; doch seid getrost, ich habe den Sieg über die Welt errungen«[223]. Und im ersten Johannesbrief heißt es: »Wir wissen, daß wir den Schritt vom Tode in das Leben getan haben, weil wir die Brüder lieben. Wer nicht liebt, bleibt im Tode«[224].

3. Christus und Buddha[225]

Hat es für einen christlichen Theologen Sinn, sich mit außerbiblischen Dichtungen und Mythen zu befassen, so natürlich auch, dem Theologischen in anderen Religionen nachzugehen. Buri hat sich jahrelang intensiv mit dem Buddhismus beschäftigt. 1968/69 verbrachte er zu diesem Zwecke sogar neun Monate in Japan. Es ist vor allem *eine* Frage, welche, vom dargelegten Christus-Verständnis her, am Buddhismus von zentralem Interesse ist, und die sowohl bei Keller als auch bei Spitteler ungenügend zur Sprache kam, nämlich: Welche Stelle kommt dem Person-Sein zu? Buris Theologie steht und fällt mit der Personalität. Und je nach der Haltung des Buddhismus dieser gegenüber, wird ein Vergleich von Christus und Buddha ausfallen. Es versteht sich von selbst, daß es hier nicht darum gehen kann, den Buddhismus re-

---

222 Buri, Fritz: Prometheus und Christus, S. 279.
223 Joh. 16, 33b.
224 1. Joh. 3,14.
225 Siehe Buri, Fritz: Begegnung mit buddhistischem Denken in Japan, in: Zur Theologie der Verantwortung, S. 139–157. Vgl. auch Buri, Fritz: Das Selbst und das Nichts, in: Zur Theologie der Verantwortung, S. 281–299. Vgl. ferner Buri, Fritz: Der Begriff der Gnade bei Paulus, Shinran und Luther, in: Theologische Zeitschrift, hrsg. v. d. Theol. Fakultät der Universität Basel, Jahrgang 31–1975, S. 274–288.

ligionswissenschaftlich anzugehen. Unser Thema ist Buris Christus-Verständnis. Innerhalb derselben aber ist ein Vergleich zwischen Buddha und Christus, aus Buris Sicht, von Wichtigkeit. Zugleich erlaubt er uns, Buris zentrales Anliegen im Christus-Verständnis noch einmal zur Sprache zu bringen und damit den darstellenden Teil dieser Arbeit gleichsam mit einem letzten Crescendo abzuschließen.

Im heutigen japanischen Denken sind erkenntnistheoretische Überlegungen über das Subjekt-Objekt-Schema durchaus an der Tagesordnung. Und zwar ist dieses nicht nur eine Frucht der Konfrontation mit der abendländischen Philosophie, sondern hat seinen Grund im Buddhismus selbst. Der Buddhismus ist auf seine Weise darauf aus, das Subjekt über die diesseitigen Dinge hinauszuführen. Deshalb versucht auch japanisches Denken über den Gegensatz von Subjekt und Objekt hinauszukommen und jener Wirklichkeit innezuwerden, die jenseits von Subjekt und Objekt liegt[226]. Geradezu programmatisch ist die Überzeugung, daß sich die Dinge in ihrem wahren Wesen erst zeigen, wenn man ihrer *vor* der Subjekt-Objekt-Spaltung, d. i. ohne Dazwischentreten der menschlichen Subjektivität, innewird. Der ›Subjektivismus‹ ist durch ein ›Leerwerden‹ des Subjekt zu überwinden. In diese Leere, in den Abgrund des Nichts (des Subjekts und des Objekts), gelangt der Mensch aber niemals via Denken, sondern allenfalls durch eine bestimmte Art von Meditation und damit verbundener aszetischer Disziplin. Diese ermöglichen dem Ich in der Leere, im Nirwana aufzugehen. In der Verneinung nicht nur alles begrifflich Eindeutigen, sondern auch der Personalität, gelangt der Mensch auf den Wesensgrund des Seins (oder auch Nichts=Nirwana), wo alle Dinge möglich sind. Wer dahin gelangt, befindet sich am Ort des Buddhawerdens[227].

Der Weg zum Eigentlichen bei Buri aber besteht im Personwerden. Dieses vollzieht sich in Abhebung von allem Objektiven. Wir haben darum eine Nähe zum Buddhismus, der auch von einem Aufgehen im Objektiven wegführen will. Nur bleibt bei Buri nicht die große Leere oder der »›große Tod‹«[228]. Wer erleidet denn im Buddhismus, so fragt sich Buri[229], den ›großen Tod‹, wenn es kein Subjekt und kein Objekt mehr gibt? Buri besteht auf dem Person-Werden als dem Zentrum seines Denkens. Deshalb kann er sich mit dem Buddhismus nie identifizieren. Buris Selbstverständnis geht nicht auf eine Auflösung seiner selbst hinaus, sondern erfährt sich als Bezogensein auf Transzendenz und als Berufensein zu unbedingter Verantwortung in Gemeinschaft. Im Buddhismus dagegen ist ein Selbstverständnis nur Ausfluß des Lebensdurstes und des Haftens am Endlichen und muß in der ›Leere‹ ausgelöscht werden[230].

Für Buri persönlich ist darum der christlichen Tradition vor dem Buddhismus den Vorzug zu geben. Das hat, wie dargestellt, mit theologischen Überlegungen zu tun, aber auch mit Buris Lebensweg. Christus ist für ihn Weg, Wahrheit und Leben, weil

---

226 Vgl. Buri, Fritz: Begegnung mit buddhistischem Denken in Japan, in: Zur Theologie der Verantwortung, S. 141.
227 Vgl. Buri, Fritz: ebd., S. 144.
228 Buri, Fritz: ebd., S. 147.
229 Buri, Fritz: ebd., S. 147.
230 Siehe Buri, Fritz: ebd., S. 148.

er diesen Namen als wirksames Symbol, d.h. als Weg zum Heil erfahren hat, wie er dies in seiner jahrzehntelangen Predigttätigkeit immer wieder bezeugt hat. Und eben aus diesem Heilsverständnis heraus kann Buddha nicht einfach mit Christus gleichgesetzt werden, denn mit dem Christusnamen ist mehr verbunden als nur theologische Tradition. In der Begegnung mit Christus fühlte sich Buri ›beim Namen gerufen‹. Er erfuhr seine Transzendenz-Bezogenheit, und zwar in konkreter geschichtlicher Situation. Und er spürte die Verantwortung, die ihm daraus erwuchs, nämlich von der froh-machenden Botschaft zu künden.

FRITZ BURI

Hoffnung

Wesen und Bewährung

Evangelische Zeitstimmen Band 30

68 Seiten, Englische Broschur, 4,50 DM

HERBERT REICH · EVANGELISCHER VERLAG GMBH
2000 HAMBURG 651 · BERGSTEDTER MARKT 12

DRITTER TEIL

ANMERKUNGEN ZUM CHRISTUS-VERSTÄNDNIS FRITZ BURIS

Eine Diskussion mit Fritz Buri könnte auf verschiedenen Ebenen ansetzen. Man könnte exegetische, historische, philosophische usw. Fragen an ihn herantragen. Welche Art von Fragen es aber auch immer sind, eines darf nicht vergessen werden: daß Buri mit seiner ganzen Existenz Theologe ist. Will man ihn verstehen, muß man sich zuerst um sein Theologie-Verständnis bemühen. Und Buri ist, wie dargestellt, vollständig und ungeteilt dem existenziellen Denken verpflichtet. Ein Gespräch, das glaubt, davon absehen zu können, wird an Buri vorbeireden. Deswegen muß jede Auseinandersetzung mit Buri da beginnen. Erst wenn Buris Theologieverständnis grundsätzlich reflektiert ist, können allenfalls Fragen zu einem speziellen Thema der Theologie, und wäre es auch ein Zentrales, wie das Christus-Verständnis, gestellt werden.

I. Die andere Tradition

Spricht man mit Theologen, bekommt man den Eindruck, jeder habe schon von Fritz Buri gehört, vor allem im Zusammenhang mit dem hermeneutischen Problem (Entkerygmatisierung). Freudiges Eingehen auf ihn aber findet man selten, auch nicht in Publikationen. Vor allem im katholischen Raum herrschen weitgehend Skepsis[231] vor. Sucht man nach einer Erklärung, muß, scheint mir, zunächst die andere Tradition zur Sprache gebracht werden.

Die katholische Theologie ist – vielleicht weniger spekulativ als gefühlsmäßig – immer noch einem objektiven Seins-Denken verpflichtet: Philosophisches Fragen und Forschen kann die Dinge, ihr Wesen und die sie konstituierenden metaphysischen Prinzipien – kurz: das Sein – so wie sie sind (objektiv) erkennen. Spätestens mit dem Konzil von Nizäa (325) begann dieses Seins-Denken in der christlichen Theologie wirksam zu werden. Hier wurde zum ersten Mal ein Begriff (homoousion), den es im biblischen Sprachgebrauch nicht gibt, in einer dogmatisch-verbindlichen Weise verwendet. ›Homoousion‹ entstammt der griechischen Philosophie und bringt eine seinsmäßige ›Wesensgleichheit‹ – des Sohnes mit dem Vater – zum Ausdruck. Damit konnten die Differenzen, die zwischen den Konzilsvätern waren, fürs erste überwunden werden. Als aber bald darauf neue Auseinandersetzungen, diesmal um das

231 Vgl. z. B. Fries, Heinrich: Mythos und Offenbarung, in: Fragen der Theologie heute, hrsg. v. Feiner, Trütsch, Böckle. Einsiedeln, 1957, zu Buri bes. S. 22–28. Konrad, Franz: Das Offenbarungsverständnis in der evangelischen Theologie, in: Beiträge zur ökumenischen Theologie. Band 6, hrsg. v. Heinrich Fries. München, 1971, zu Buri bes. S. 143–276. Kasper, Walter: Jesus der Christus. Mainz, 1975, zu Buri bes. S. 17.52. Eicher, Peter: Offenbarung. Zur Präzisierung einer überstrapazierten Kategorie, in: Konturen heutiger Theologie, hrsg. v. Gottfried Bitter, Gabriele Miller. München, 1976, zu Buri bes. S. 118.

›Homoousion‹, aufbrachen, wurden zur Erklärung und Verteidigung der Standpunkte immer selbstverständlicher auch philosophische Termini verwendet. Philosophisches Seins-Denken hatte Heimatrecht in der christlichen Theologie bekommen. Es konnte sich, trotz mannigfaltigster Auseinandersetzungen, bis in die neueste Zeit hinein, wenigstens tendenziell, halten. Es wurde so geradezu ein Element der Tradition. Mißt man eine Tradition nach der Zahl ihrer Jahre, hat objektives Seins-Denken in der christlichen Theologie eine ehrwürdige Tradition, denn selbst noch im 20. Jahrhundert, im Antimodernisteneid, wurden katholische Theologen darauf eingeschworen.

Buris Denken dagegen kennt solche oder ähnliche Traditionen oder gar Zwänge nicht. Er war und ist nicht nur ein protestantischer, sondern auch ein liberaler Theologe. Das erstere bedeutet, daß für ihn schon von Hause aus jedes nichtbiblische Denken, und damit auch eine objektive Seinsphilosophie, zum mindesten als fragwürdig erscheint; das letztere, daß er selbst biblisches Denken nicht unbesehen hinnehmen kann, weil er sich für sein theologisches Denken immer auch selber verantwortlich weiß. Diese Haltung ist schon bei seiner Dissertation festzustellen und hat seinem ganzen theologischen Weg das Gepräge gegeben.

Buris Weise nun, die Dinge zu sehen, ist dem neuzeitlichen Denken verpflichtet. Theologisch zählt dieses Schleiermacher, Strauß, Herrmann, Harnack, Ritschl u.a.m. zu seinen Ahnen. Alle diese Leute versuchten für das Christliche in einer modernen, säkularisierten Welt die Stimme zu erheben. Auch Buri tat und tut dies unentwegt. Dabei geht es ihm nicht darum, das Rad der Zeit zurückzudrehen oder wenigstens anzuhalten. Er bejahte und bejaht diese unsere Zeit. Ihr will er die Christusbotschaft verständlich machen, und zwar in einer Weise, daß sich auch modernes Denken davon angesprochen fühlen kann. Das ist freilich nicht sein einziges Kriterium. Gar einen ›theologischen Ort‹ dahinter zu vermuten, wäre völlig abwegig. Hätte er à tout prix ›ankommen‹ wollen, hätte er nicht unentwegt an seinem existenziellen Ansatz festgehalten. Fritz Buri will, wie gesagt, eine Theologie für unsere Zeit, doch nicht, ohne das für jede Zeit und für jeden Menschen Gültige im Auge zu behalten. In diesem Sinne will er auch die ›ewige‹ und unzerstörbare Wahrheit der christlichen Offenbarung und des Christusgeheimnisses freilegen.

Dies ist freilich nicht möglich, ohne im weitläufigen Land der Meinungen und Ansichten und Überzeugungen eine Scheidung vorzunehmen. Aus diesem Grund fühlt sich denn auch Fritz Buri dem Vater des kritischen Denkens der Neuzeit, Immanuel Kant, aufs Tiefste verbunden. Zeitweilig betrachtete er, nach eigenem Bekunden, Kants ›Die Religion innerhalb der Grenzen der bloßen Vernunft‹ fast als seine andere Bibel. Dennoch war es nicht Kant selber, der ihm die innere Klarheit und Sicherheit brachte, sondern die Begegnung mit einem Sproß der kritischen Philosophie, mit dem Existenzdenken. Existenzielles Denken, wie wir es bei Buri kennenlernten, mag vielleicht vielen als ein verarmtes religiöses Denken erscheinen. Daß es als weniger reich und farbig erscheinen kann, hat seinen Grund darin, daß es in der kritischen Tradition steht, und das bedeutet auch, daß es nicht alles und jedes, das es auch noch gibt, das auch noch interessant ist und vielleicht sogar u. U. einmal wichtig sein könnte, zur Sprache bringt. Es beschränkt sich und zwar auf kritisch Ausweisbares. Im Bereich des Religiösen nun ist nur von der Innerlichkeit des Subjekts aus weiterzukommen. Da nach objektiver Allgemeingültigkeit zu suchen, wäre verfehlt.

Dafür wird etwas freigelegt, was objektives Denken ausklammert, ja ausklammern muß: die Unbedingtheit im Subjektiven. Buri fragt unentwegt nach diesem Unbedingten. Er mißachtet dabei die Tradition in keiner Weise. Wo sich aber die Tradition in objektiven Erwägungen oder gar in Spitzfindigkeiten ergeht, vermag er ihr nicht mehr als einen historischen Wert zuzuerkennen. Als Theologe fühlt er sich verpflichtet, den dahinter stehenden subjektiven Wert für unsere Zeit zum Leuchten zu bringen.

II. Bemerkungen zu Buris existenziellem Ansatz

Selbstverständlich gibt es nicht nur den existenziellen Ansatz, auch nicht im Bereich des Religiösen. Der neutestamentliche Mensch äußerte sich auf dem Hintergrund des Judentums, die mittelalterliche Theologie dachte ontologisch, für Hegel war das Religiöse eine bestimmte Artikulation des Geistes usw. Die Wissenssoziologie hat uns darauf aufmerksam gemacht, daß, je nach Gestimmtheit – und das heißt letztlich: unerklärlicher Weise – eines Menschen, einer Zeit, einer Epoche je anderes im Vordergrund stehen kann. Karl Mannheim z. B. ist der Überzeugung, daß es zwar nur *eine* Logik, aber verschiedene Interpretationsweisen derselben gibt: eine logische, psychologische und ontologische. Jede hat etwas Totaläres an sich und vermag die anderen von der eigenen Position aus zu ›erklären‹, d. h. zu relativieren und zu integrieren. Für die ontologische ist alles ›seiend‹, auch das Denken und Fühlen. Für die psychologische dagegen gibt es für uns weder Denken noch Sein, es sei denn auf Grund von Gefühlen. Und für die logische gibt es kein Sein oder Gefühl ohne Bewußtsein[232].

Ob und wie Buris existenzieller Ansatz einer der genannten Interpretationsweisen zugeordnet werden kann (der logischen etwa?), will ich hier nicht abklären. Sicher aber kann von ihm aus jeder andere religiöse Standpunkt relativiert und integriert werden. Die traditionellen Themen der christlichen Theologie erhalten damit einen anderen Stellenwert und damit auch eine andere Wertschätzung. Nehmen wir z. B. die Offenbarung, die in Buris Theologie, wie für jede Theologie, ein zentrales Thema ist[233]. Ontologisches Denken fragt nach dem objektiven ›Sein‹ der Offenbarung. Wird diese als einmal historisch ergangen verstanden, ist es von entscheidender Wichtigkeit, ihre Quellen (Bibel/Tradition) exakt, und das heißt heute: wissenschaftlich, zu erforschen. Anders Fritz Buri. Er versteht Offenbarung subjektiv-existenziell. Für ihn sind das, was historische Offenbarungsquellen berichten, Erinnerungen an Offenbarungserlebnisse. Sie historisch präzise zu untersuchen ist zwar nicht unwichtig, aber letztlich doch nicht von entscheidender Bedeutung für Theologie. Geschichtswissenschaftliches Bemühen geht auf größtmögliche historische Objektivität unter möglichster Ausschaltung der Subjektivität des Forschers. Ein Existenzdenker wie Buri dagegen ist überzeugt, daß solches Forschen allenfalls ›Richtigkeiten‹ an den Tag bringen kann. Sein Interesse gilt aber nicht Richtigkeiten, son-

---

232 Vgl. Mannheim, Karl: Wissenssoziologie. Auswahl aus dem Werk, eingeleitet und herausgegeben von Kurt H. Wolff. Soziologische Texte / Band 28. Neuwied am Rhein, 1970, bes. S. 211 ff.
233 Vgl. Buri, Fritz: Dogmatik als Selbstverständnis des christlichen Glaubens. Band 1.

dern der ›Wahrheit‹, d. i. existenziell erfahrenem Lebenssinn. Nur da ereignet sich *für uns* Offenbarung. Die Beschäftigung mit der Bibel, aber auch mit dem Dogma kann unter Umständen Anlaß sein, daß uns Offenbarung zuteil wird, kann uns aber genauso gut für sie unempfänglich machen, dann nämlich, wenn wir Wahrheit mit Richtigkeit verwechseln.

In einer Auseinandersetzung mit Buri objektive Ungenauigkeiten in Sachen Bibel (Exegese) oder Tradition (Dogma) ins Feld zu führen, wäre zwar möglich, würde aber den Kern seines theologischen Denkens nicht treffen. Buri bleibt im Grunde ›unangreifbar‹. Er kann jeden objektiven Einwand als ›Richtigkeit‹ orten und damit relativieren. Ein objektiv richtiger Einwand ändert nichts an seinem theologischen Denken, und kann es auch nicht, grundsätzlich nicht. Wahrheit, um die es Buri geht, ereignet sich nicht im Bereich der Richtigkeiten, sondern in der Innerlichkeit des Subjekts, diesem selber unverfügbar, selber immer wieder neu überwältigend, wenn sie sich ereignet.

So bestechend diese Unangreifbarkeit einer theologischen Position wirken kann, gerade heute, wo man von einer nachchristlichen oder gar nachreligiösen Ära spricht, völlig unproblematisch ist auch sie nicht. Nehmen wir den Gedanken Karl Mannheims wieder auf[234], kann ›Unangreifbarkeit‹ das Merkmal auch anderer Standpunkte sein. Ein ontologisches Denken z. B. könnte auch Buris Auffassungen als Bemühungen um das ›Sein‹ interpretieren. Es würde dann zwar die innerste Intention Buris mißachten, sich aber auch unangreifbar fühlen können. Unangreifbarkeit allein kann damit noch kein ausreichendes Kriterium sein, um Anhänger einer bestimmten theologischen Position zu sein oder zu werden.

Damit ist die Frage auch an Buri selber gerichtet: Warum gerade eine personal-existenzielle Theologie? Hat das mit Offenbarung zu tun? Mit Zeitgeist? Mit persönlichem Gestimmtsein? Und was ist mit den anderen, die den Zeitgeist heute anders erleben, denen keine Offenbarung zu Teil wird, die persönlich anders ›gestimmt‹ sind? Hat denen Theologie nichts zu sagen, es sei denn Richtigkeiten, von denen sie ja doch nicht selig werden?

Es liegt mir fern, Buri auf eine billige Weise relativieren zu wollen. Ich möchte seinen Ansatz aufnehmen und versuchen weiterzudenken. Was Buris Offenbarungs- (und damit Theologie-)Verständnis durchzieht, ist das Insistieren darauf, daß immer der einzelne sich auf Offenbarung einlassen muß. Das Durch-sie-ergriffen-Sein kann niemals von anderen oder von einer Gemeinschaft übernommen werden, geht es doch wesentlich um existenzielle Person-Werdung. Ist aber damit über die Offenbarung alles gesagt? Berücksichtigt dieses Existenzverständnis nicht zuwenig, daß der Mensch auch intersubjektiv ist, und zwar von seiner Konstitution her? Kann ein Individuum zu sich finden und schließlich Existenz werden, völlig unabhängig von andern? Bevor existenzielle Person-Werdung eines Menschen möglich wird, müssen andere da sein. Und das heißt: menschliches Sein ist ebenso ursprünglich wie Individuum-Sein ein Mit-Sein. Nicht nur kann ich mich ohne andere nicht als Individuum verstehen, ich kann auch nicht Mensch werden, wenn sich nicht andere um mich bemühen, mir Raum lassen, usw. Zählt das nun bei einem personal-existenziellen Selbstverständnis gar nichts mehr? Ist das alles mit ›Historie‹, ›Objektivität‹, ›Rich-

234 Siehe oben, S. 79.

tigkeit‹ usw., d. i. mit nicht-existenziellen Charakterisierungen, zutreffend erfaßt? Kann personales bzw. existenzielles Selbstverständnis vom Beitrag anderer bei der Selbstwerdung – der ja auch ein *frei* und *existenziell* vollzogener Beitrag sein kann – absehen und die Innerlichkeit des Subjekts als das Allein-Eigentliche betrachten? Von einem zwischenmenschlich verstandenen Menschsein aus kann man nicht jedes Kommunikationsgeschehen als unexistenzielles, objektives, bloß an Richtigkeiten zu messendes Geschehen betrachten[235]. Wenn aber Kommunikation auch existenziell sein kann, muß man dann nicht auch mit existenzieller *Gemeinschaft* rechnen, bzw. die Möglichkeit einer solchen offen lassen? ›Gemeinschaft‹ ist hier nicht nur synchronisch gemeint, sondern auch diachronisch, d. h. auch die *Geschichte* ist mit bloßer Objektivität und Richtigkeit nur zum Teil erfaßt. Zum mindesten wiederum muß damit gerechnet werden, daß nicht alles bisher Gewesene sich bloß im Raume der Richtigkeiten vollzog. Wer möchte ausschließen, daß schon früher Menschen aus der Wahrheit lebten und von ihr Zeugnis gegeben haben, ein Zeugnis, das wir heute noch – durch alle Objektivierungen hindurch – vernehmen können? Wenn wir der göttlichen Person, durch Objektivierungen hindurch, persönlich begegnen können[236], warum nicht auch menschlichen Personen?
Zur-Existenz-Kommen heißt Wahrheit finden. Ist der Mensch von seiner Konstitution her ein intersubjektives Wesen, versteht man auch besser, warum er ein Bedürfnis hat, von Wahrheit zu reden, wenn er ihrer innegeworden ist, sie mitzuteilen, auf welche Art und welcher Ebene auch immer. Man sieht sodann auch, daß in dieser Perspektive der Stellenwert einer religiösen Gemeinschaft (Kirche) anders zu veranschlagen ist, als dies bei Buris individuell-existenziellem Ansatz der Fall ist. Nicht nur werden in ihr die Mitglieder zu intersubjektiver Existenz und durch sie hindurch zu religiösem Selbstverständnis aufgerufen, sie betrachtet es auch als wesentliche Pflicht, die Erinnerung an existenziell-religiöse Erfahrungen vergangener Zeiten wachzuhalten und, nach Möglichkeit, immer von neuem zu beleben. Mögen auch die Fragestellungen nicht mehr dieselben, der Denkansatz anders, der Ausdruck der Mitteilung uns heute fremd sein, es waren doch Menschen, die mit menschlichen Problemen auf menschliche Art gerungen haben. Als Menschen vermögen wir an ihren Höhen und Tiefen, an ihren Richtigkeiten, aber auch an ihrer Wahrheit und damit Religiosität, teilzuhaben. Letzteres freilich nur, wenn wir selber in interpersoneller Gemeinschaft Personalität realisieren, d. i. wenn wir, wenigstens im weitesten Sinne, religiös-kirchliches Menschsein vollziehen.

III. Bemerkungen zum Christus-Verständnis im speziellen

Der christliche Glaube ist heute wohl weniger denn je eine Selbstverständlichkeit. Gibt es heute den selbstverständlich Glaubenden überhaupt noch? Wie weit ist insbesondere der Mensch von heute noch für das Zentrum des Christentums, das Geheimnis des Gott-Menschen, Jesus Christus, empfänglich? Buri hat für diese Problematik zweifellos ein tiefes Gespür. Das Anliegen, die überlieferten christlichen

---

235 Vgl. Jaspers, Karl: Philosophie. II. Existenzerhellung. Berlin, 1956³.
236 Vgl. oben, S. 65/66.

Glaubenswahrheiten in einem solchen Licht erscheinen zu lassen, daß sie nicht nur ehrwürdig, sondern auch für den modernen Menschen wieder sinnvoll wirken, war immer von neuem Ansporn für sein theologisches Forschen und Schaffen. In den Resultaten wird freilich nicht jeder Christ seine eigenen Glaubensvorstellungen ohne weiteres wiedererkennen. Das gilt nicht zuletzt auch bezüglich der Christologie. Wenn man die heutige theologische Literatur durchgeht, sieht man gerade in christologischen Fragen eine betonte Hinwendung zum Problem: was bedeutet uns Christus heute[237]? Dabei schwingt häufig ein kritisches Verhältnis zum altkirchlichen Christusdogma, verbunden mit einer starken Rückbesinnung auf das Neue Testament, mit. Wie nicht anders zu erwarten, gibt es jedoch sehr deutliche Unterschiede in der Art und Weise der Durchführung.

In unseren Überlegungen seien diese Ansätze nicht mehr weiter verfolgt. Ich möchte vielmehr die Gedanken, die ich eben zu Buris theologischem Ansatz machte, weiterführen. Was hätte es für Folgen für eine Christologie, wenn Buris existenzieller Ansatz dahin ergänzt würde, daß jede Existenz-Werdung intersubjektiv bedingt ist? Konkret müßte einbezogen werden, daß 1. Buris ›geschichtliche Situation‹ immer auch eine – direkt oder indirekt – intersubjektiv bestimmte Situation ist, 2. wir einen ›Transzendenzbezug‹ nie als eine rein persönliche Angelegenheit erfahren können, 3. die daraus entstehende ›Verantwortung‹ eine intersubjektive Inhaltlichkeit aufweist[238].

1. Intersubjektive Bestimmung der konkreten geschichtlichen Situation

Der Mensch ist, in einem intersubjektiven Selbstverständnis, notwendig auf andere Menschen angewiesen. Dieses Angewiesen-Sein reicht auch in die Vergangenheit zurück. Im existenziell-personalen Ansatz, wie Buri ihn hat, wird die Tradition unter dem Gesichtspunkt der Richtigkeit, bzw. Objektivität gesehen. Das aber ist eine zu selektive Einstellung zur Vergangenheit. Natürlich hat alles Tradierte eine objektive Seite, und selbstverständlich konnten die Menschen der Vergangenheit in Richtigkeiten aufgehen. Aber sie konnten auch in und aus der Wahrheit leben, und dieser einen Ausdruck zu geben suchen. Wer glaubt, bei der Beschäftigung mit der Vergan-

---

237 Vgl. z. B. Schillebeeck, Edward: Jesus. Die Geschichte von einem Lebenden. Aus dem Niederländischen übertragen von Hugo Zulauf. Freiburg im Breisgau, 1975. Vgl. auch Schilson, Arno: Perspektiven gegenwärtiger Christologie. Ein Situationsbericht, in: Konturen heutiger Theologie, S. 161–176.

238 Oben (S. 30/31) wurde gesagt, daß für Buri der Mensch auf andere Menschen angewiesen ist. Buri spricht denn auch oft und nachhaltig von der Verantwortung für den Mitmenschen (vgl. z. B. oben S. 67/68; ausführlich wird davon im 3. Band der ›Dogmatik als Selbstverständnis des christlichen Glaubens‹, bes. auf den Seiten 277–461, die Rede sein). Doch denkt Buri nicht von einem intersubjektiven Ansatz her. »Es muß wohl . . . gesagt sein, daß wir uns in unserem Personsein nicht ohne anderes Personsein, sondern nur in der personalen Gemeinschaft mit anderen verstehen, wenn wir auch in der Rede, daß wir uns nur vom Du her verstehen, eine dem Personwerden nicht entsprechende Theorie sehen« (Buri, Fritz: Die Wirklichkeit des Glaubens, in: Zur Theologie der Verantwortung, S. 217). Ein Person gewordenes Individuum kann das Du, den anderen Menschen, gleichsam ›entdecken‹. Aber weder ins Person-Werden noch ins Person-Sein geht Intersubjektivität konstitutiv mit ein. Freilich ist Buri auch der Überzeugung, daß keine Theorie den »Ereignischarakter« (ebd., S. 217) der hier in Frage stehenden Wirklichkeit zu fassen vermag.

genheit von vornherein davon abstrahieren zu müssen, wird zwar vielleicht objektiven wissenschaftlichen Kriterien gerecht, vergißt aber, daß der Mensch – vor jeder wissenschaftlichen Beschäftigung – subjektiv-intersubjektiv konstituiert ist. Bevor objektives Fragen möglich wird, hat der Mensch Sinn für das Subjektiv-Intersubjektive und damit auch für das, was sich in der Innerlichkeit der Subjektivität anderer ereignen kann. M. a. W. er hat auch Sinn für Wahrheit, die anderen zuteil wurde[239]. Intersubjektiv verfaßte Existenz kann natürlich die erfahrene Wahrheit nicht zu einer allgemein und notwendig geltenden Angelegenheit machen, zum mindesten nicht im objektiven Sinne. Wahrheit als erfahrener Lebenssinn ereignet sich im Raum des Subjektiven. Wenn sie aber doch nicht als nur mein, sondern als unser aller Lebenssinn erfahren wird, besteht auch das Bedürfnis von ihr zu sprechen, sie, soweit es möglich ist, andern zugänglich zu machen, sie im Kreise Gleichgesinnter lebendig zu erhalten, und, last not least, zu fragen, woher sie kommt. Das heißt: es ist ein anderer Bezug zur Tradition und ihrem Ursprung gegeben.

Auf die Christologie angewandt heißt das: Wahrheit, die im christlichen Raum erfahren wird, ist in Zusammenhang mit der Entstehung des Christentums zu bringen, mit Jesus von Nazareth, mit den Berichten von seinem Wirken, seinem Leiden, Sterben und Auferstehen. Die verschiedenen Ausprägungen der Lehre von Jesus dem Christus, die im Laufe der Jahrhunderte entstanden sind, dürfen, so gesehen, nicht nur als Bemühungen um Richtigkeit gewertet werden.

2. Intersubjektivität und Transzendenz

Eine Besinnung auf die geschichtlich gewachsene und immer neu tradierte Christus-Botschaft kann sich im Bereich der Richtigkeiten bewegen, muß es aber nicht. Sie kann auch auf Wahrheit, d. i. auf ›Leben aus Transzendenz‹, achten. Damit ist gesagt, daß ein christliches Lebensverständnis immer auch um Letzt-Verbindliches weiß und im Leben zum Ausdruck bringen muß. Intersubjektiv verstandener Transzendenzbezug weiß um etwas, das für alle Menschen, ohne Unterschied des Geschlechtes, der Farbe, der Nation, Lebenssinn und damit Lebenserfüllung bedeutet. Davon will nicht nur die tradierte Christologie, sondern auch der Ursprung dieser Tradition, der historische Jesus, Zeugnis geben. Das Zugleich von höchstem Menschsein, d. h. Bezogenheit auf Transzendenz, und Sich-geschichtlich-bedingt-Wissen von einer anderen Person, zeigt sich hier in ganz besonderer Weise. Es ist die Person Jesu, die den Transzendenzbezug gelebt und zugleich anderen ermöglicht hat. Wäre seine Transzendenzbezogenheit nicht von existenziell-intersubjektiver Bedeutung gewesen, hätte er wohl für niemanden ›den Himmel aufgetan‹, hätte ihn niemand als den ›Christus‹ verstehen können oder als den ›Kyrios‹, ›Logos‹, usw. Menschen, die sich, damals wie heute, in der Begegnung mit der Botschaft von Jesus als dem Christus als Person erfahren, können zwar auf ihr eigenes Tun nicht verzichten, aber sie verstehen ihr Person-Werden nicht als eigene Leistung. Sie ist, wie Buri auch sagt, ermöglicht und bedingt durch Transzendenz. Schließt Transzendenzbezo-

---

239 Daß Buri selber das eigentlich nicht fremd sein müßte, geht aus unseren Ausführungen zu Albert Schweitzer hervor. Vgl. oben, S. 14.

genheit das intersubjektive Moment mit ein, müssen wir aber hinzufügen: Person-werden ist auch intersubjektiv bedingt, christliches Personwerden durch Jesus von Nazareth, der da ist Christus, der Herr. Nur durch dieses Mitbedingtsein wird ein Mensch ein ›alter Christus‹. ›Nicht mehr ich lebe, sondern Christus lebt in mir‹, gehört somit, recht verstanden, wesentlich zu christlicher Existenz.

3. Verantwortung aus Intersubjektivität[240]

Wer von Wahrheit ergriffen ist und die dabei mitspielenden intersubjektiven Komponenten nicht in Objektivitäten aufgehen läßt, begreift, daß Wahrheit nicht ein zu wahrender Besitz ist. Sie lebt nur wirklich, wo sie auch mitgeteilt wird. Es ist nie bloß meine Wahrheit. Jede Wahrheit ist im Grunde immer auch unser aller Wahrheit. Erfahrene Wahrheit sucht die Mitteilung, den Ausdruck für andere. Sie will wachgehalten und ausgebreitet werden.

Das ist auch bei der christlichen Wahrheit nicht anders. Kirche und Mission haben denn auch seit jeher versucht, den christlichen Glauben zu bewahren, weiterzugeben, auszubreiten. Eine existenziell-intersubjektive Christologie weiß auch theologisch, im Gegensatz zu einer individuell-existenziellen, daß einer des andern Last zu tragen hat, daß, wer in Christus Wahrheit gefunden hat, auch eine Verantwortung dafür hat, daß andere sie finden können.

Damit will nichts über Buris praktisches Verhalten gesagt sein. Ich betone, daß es sich hier um eine theologisch-systematische Aussage handelt. Buris Leben ist mir Zeugnis genug, daß er es in praxi selber auch so gehalten hat. Er hat es auch vertreten. Doch scheint mir das nicht eine organische Konsequenz aus seinen Schriften, die den individuell-existenziellen Ansatz konsequent durchgehalten haben, zu sein.

---

240 Wie schon erwähnt, äußert sich Buri ausführlich zur Verantwortung. Im einzelnen kann ich hier diesem Thema nicht nachgehen. Es wären vor allem soteriologische und ekklesiologische Themen zu behandeln, was aber den Rahmen dieser Arbeit überschreiten würde.

FRITZ BURI

Das lebendige Wort

Predigten

180 Seiten, Ganzleinen/Schutzumschlag, 12,– DM

HERBERT REICH · EVANGELISCHER VERLAG GMBH
2000 HAMBURG 651 · BERGSTEDTER MARKT 12

NACHWORT

Das Zentrum einer christlichen Kirche ist die Christusbotschaft. Die Kirche hat sie auch heute zu verkünden. Die Theologie ihrerseits hat die Aufgabe, diese Botschaft nicht nur auf dem Hintergrund von alten, sondern auch neuen Verhältnissen geistig zu durchdringen, und eventuell neue Ausdrucksmöglichkeiten bereitzustellen. Wenn Thomas von Aquin, gegen den Widerstand einer mehr platonisch orientierten Theologie, dem aristotelischen Denken in der Theologie zum Durchbruch verhalf, stand dahinter nicht Mutwille, oder Erneuerungssucht oder ähnliches, sondern u. a. auch das Anliegen, dem gebildeten Menschen seiner Zeit die Christus-Botschaft verständlicher zu machen. Wenn nun das heutige Denken weder aristotelisch noch platonisch geprägt ist, hat dann Theologie heute nicht in einer neuen Weise nach der Verkündbarkeit des Christus-Glaubens zu fragen?

Ein Charakteristikum unserer Zeit ist zweifelsohne der Pluralismus. Wir leben nicht nur de facto in einer pluralistischen Welt, der Pluralismus wird auch als Wert betrachtet, sofern hinter verschiedenen Überzeugungen persönliche Anstrengung und Verantwortung stehen. Soll die Christusbotschaft heutigen Menschen verkündet werden, ist der Pluralismus ernst zu nehmen. Das bedeutet unter anderem, daß die Verkündigung die Eigenverantwortung jedes einzelnen in Anschlag nehmen muß. Sie hat dem einzelnen Hilfe zu bieten, zu einer verantworteten Glaubenshaltung zu kommen.

Buris Theologie bietet diese Hilfe. Sie respektiert die Freiheit und Verantwortung jedes einzelnen, ohne in Unverbindlichkeit zu machen. Sie schätzt die Tradition, ohne in dieser das Alleinseligmachende zu sehen. Sie ist eine anthropologische Theologie, ohne im Horizontalen aufzugehen. In diesem Sinne ist sie eine uralte und doch immer neue Theologie, eine ewige Möglichkeit, vom Heil in Christus zu künden.

FRITZ BURI

Der Pantokrator
Ontologie und Eschatologie als Grundlage
der Lehre von Gott
Theologische Forschung Band 47
160 Seiten, Englische Broschur, 16,– DM

HERBERT REICH · EVANGELISCHER VERLAG GMBH
2000 HAMBURG 651 · BERGSTEDTER MARKT 12

LITERATURVERZEICHNIS

Bultmann, Rudolf, Neues Testament und Mythologie, in: Theologische Forschung 1, 5. Aufl. 1967. Herbert Reich, Hamburg-Bergstedt.

Buri, Fritz, Glaube und Geschichte bei Wilhelm Herrmann. Darstellung und Kritik auf Grund seiner gesammelten Aufsätze (herausgegeben von F.W. Schmidt, 1923), »o.O«; »o.J.«.

Buri, Fritz, Jesus Christus, der Herr, und die religiösen Strömungen der Gegenwart. Bern, »o.J.«.

Buri, Fritz, Die Bedeutung der neutestamentlichen Eschatologie für die neuere protestantische Theologie. Zürich, 1935.

Buri, Fritz, Clemens Alexandrinus und der Paulinische Freiheitsbegriff. Zürich, 1939.

Buri, Fritz, Christentum und Kultur bei Albert Schweitzer. Eine Einführung in sein Denken als Weg zu einer christlichen Weltanschauung. Bern, 1941.

Buri, Fritz, Gottfried Kellers Glaube. Ein Bekenntnis zu seinem Protestantismus. Bern, 1944.

Buri, Fritz, Gottfried Kellers Beitrag zu einer künftigen protestantischen Wirklichkeitstheologie, in: Religiöse Gegenwartsfragen, hrsg. v. J. Böni und W. Nigg, Heft 11. Bern, 1944.

Buri, Fritz, Prometheus und Christus. Größe und Grenzen von Carl Spittelers religiösen Weltanschauung. Bern, 1945.

Buri, Fritz, Der existentielle Charakter des konsequent-eschatologischen Jesus-Verständnisses Albert Schweitzers im Zusammenhang mit der heutigen Debatte zwischen Bultmann, Barth und Jaspers, in: Ehrfurcht vor dem Leben, hrsg. v. F. Buri. Bern, 1954.

Buri, Fritz, Dogmatik als Selbstverständnis des christlichen Glaubens. 2 Bde. Bern, 1956/1962. Band 3 unveröffentlicht.

Buri, Fritz, Das lebendige Wort. Meditationen über das erste und letzte Buch der Bibel. Herbert Reich, Hamburg, 1957.

Buri, Fritz, Unterricht im christlichen Glauben. 50 Fragen und Antworten. Bern, 1957.

Buri, Fritz, Die Bilder und das Wort am Basler Münster. Basel, 1961.

Buri, Fritz, Das dreifache Heilswerk Christi und seine Anwendung im Glauben. Herbert Reich, Hamburg, 1962.

Buri, Fritz, Gebete, in: Liturgie, hrsg. im Auftrag der Liturgie-Kommission der evang.-reform. Kirchen in der deutsch-sprachigen Schweiz. Bern, 1964.

Buri, Fritz, Denkender Glaube. Schritte auf dem Weg zu einer philosophischen Theologie. Bern, 1966.

Buri, Fritz, Der Pantokrator. Ontologie und Eschatologie als Grundlage der Lehre von Gott. Herbert Reich, Hamburg, 1969.

Buri, Fritz, Zur Theologie der Verantwortung, hrsg. v. Günther Hauff. Bern, 1971.

Buri, Fritz, Überblick über die protestantische Theologie von Schleiermacher bis in die Gegenwart. 1975, unveröffentlicht.

Buri, Fritz, Der Begriff der Gnade bei Paulus, Shinran und Luther, in: Theologische Zeitschrift, hrsg. v. d. Theol. Fakultät der Universität Basel, Jahrgang 31–1975, S. 274–288.

Buri, Fritz, Heil in permanenter Säkularisierung in: Theologische Forschung 60. Kerygma und Mythos VI–IX: Zum Problem der Säkularisierung. Herbert Reich, Hamburg, 1976/77.

Buri, Fritz/Lochmann, Jan Milic/Ott, Heinrich, Dogmatik im Dialog. 3 Bde. Gütersloh, 1973 / 1974 / 1976.

Denzinger/Schönmetzer, Enchiridion Symbolorum, Definitionum et Declarationum de rebus fidei et morum, editio emendata et aucta XXXIII. Freiburg/Br., 1965.

Ebeling, Gerhard, Schleiermachers Lehre von den göttlichen Eigenschaften, in: Ebeling G., »Wort und Glaube II«. Tübingen, 1969, S. 305–342.

Eicher, Peter, Offenbarung. Zur Präzisierung einer überstrapazierten Kategorie, in: Konturen heutiger Theologie, hrsg. v. Gottfried Bitter, Gabriele Miller. München, 1976, S. 108–135.

Fries, Heinrich, Mythos und Offenbarung, in: Fragen der Theologie heute, hrsg. v. Feiner, Trütsch, Böckle. Einsiedeln, 1957, S. 11–45.

Hardwick, Charley D., Faith and Objectivity. Fritz Buri and the Hermeneutical Foundation of the Radical Theology. Den Haag, 1971.

Jaspers, Karl, Vernunft und Existenz. Groningen, 1935 (J.W. Wolters).

Jaspers, Karl, Philosophie. II. Existenzerhellung. Berlin, 1956[3].

Kasper, Walter, Jesus der Christus. Mainz, 1975.

Kattenbusch, Ferdinand, Die deutsche evangelische Theologie seit Schleiermacher. Gießen, 1926.

Konrad, Franz, Das Offenbarungsverständnis in der evangelischen Theologie, in: Beiträge zur ökumenischen Theologie. Band 6, hrsg. v. Heinrich Fries. München, 1971, S. 143–276.

Mannheim, Karl, Wissenssoziologie. Auswahl aus dem Werk. Eingeleitet und herausgegeben von Kurt H. Wolff. Soziologische Texte / Band 28. Neuwied am Rhein, 1970.

Schillebeeck, Edward, Jesus. Die Geschichte von einem Lebenden. Aus dem Niederländischen übertragen von Hugo Zulauf. Freiburg/Br., 1975.

Schilson, Arno, Perspektiven gegenwärtiger Christologie. Ein Situationsbericht, in: Konturen heutiger Theologie, hrsg. v. Gottfried Bitter, Gabriele Miller. München, 1976, S. 161–176.

Schleiermacher, Friedrich, Der christliche Glaube nach den Grundsätzen der evangelischen Kirche im Zusammenhange dargestellt, hrsg. v. Martin Redeker. Berlin, 1960[7], Band I.

Stephan, D. Horst, Geschichte der evangelischen Theologie. Berlin, 1938.

Tetz, Martin, Friedrich Schleiermacher und die Trinitätslehre (Teilsammlung), hrsg. v. Martin Tetz. Gütersloh, 1969.

THEOLOGISCHE FORSCHUNG
WISSENSCHAFTLICHE BEITRÄGE ZUR KIRCHLICH-EVANGELISCHEN LEHRE

Prof. Dr. Hans Werner Bartsch, Ffm · Prof. Dr. Fritz Buri, Basel
Prof. Dr. Dieter Georgi, Cambridge/Mass.-USA · Prof. D. Götz Harbsmeier, Göttingen
Prof. Dr. J. M. Robinson, Claremont/USA · Prof. Dr. Franz Theunis, Löwen/Belgien

GELISCHER VERLAG GMBH
ERGSTEDTER MARKT 12